Les petits Miracles
II

Révision : Nancy Coulombe, Cécile Rolland
Traduction : Lou Lamontagne
Typographie et mise en page : François Doucet
Graphisme : Carl Lemyre
ISBN 2-921892-57-X
Première impression : 1999
Dépôt légal :1999
Bibliothèque Nationale du Québec
Bibliothèque Nationale du Canada

Éditions AdA Inc.
172, des Censitaires
Varennes, Québec, Canada, J3X 2C5
Téléphone: 450-929-0296
Télécopieur: 450-929-0220
www.ADA-INC.com
INFO@ADA-INC.COM

Diffusion
Canada : Éditions AdA Inc.
Téléphone: 450-929-0296
Télécopieur: 450-929-0220
www.ADA-INC.com
INFO@ADA-INC.COM
France : D.G. Diffusion
6, rue Jeanbernat
31000 Toulouse
Tél : 05-61-62-63-41
Belgique : Rabelais- 22.42.77.40
Suisse : Transat- 23.42.77.40

Imprimé au Canada

Données de catalogage avant publication (Canada)

Mandelbaum, Yitta Halberstam

Les petits miracles

Traduction de : Small miracles.
Sommaire : 2. D'extraordinaires coïncidences, des cadeaux pour le coeur.
ISBN 2-921892-57-X (v.2)

1. Coïncidence - Aspect psychique. I. Leventhal, Judith, 1958- II. Titre.

BF1175.M3514 1999   133.8   C99-004992-2

Yitta Halberstam et Judith Leventhal sont
aussi les auteures de :

Les petits miracles :
Ces extraordinaires coïncidences du quotidien

Les petits Miracles
II

D'extraordinaires coïncidences, des cadeaux pour le cœur

Yitta Halberstam et Judith Leventhal

*Traduit de l'américain
par Lou Lamontagne*

À Motty,
Qui contribue tous les jours à rendre le monde meilleur;
Avec un mot gentil, un sourire chaleureux et
un geste généreux,
Il accomplit des miracles à sa manière unique.

— YHM

Je dédie ce livre aux miracles de ma vie;
Jules, Arielle et la petite Shira.
À mon père, Harry B. Frankel, dont je chéris la mémoire.

— JFL

Introduction

Au cours de notre voyage de vie, nous croisons de nombreux guides et phares qui nous orientent dans notre cheminement. Ils nous chuchotent des mots pleins de sagesse et d'encouragement pour nous aider dans nos combats et nos aspirations, et nous invitent à accéder à de nouvelles dimensions de l'Être et de l'Existence. Ils nous font savoir que malgré notre solitude existentielle, nous ne sommes pas seuls — et que l'Esprit nous accompagne toujours.

Parmi ces phares et ces guides figurent en tête de liste des phénomènes que certains choisissent d'appeler coïncidences, mais dont nous — les auteurs — reconnaissons l'existence et qui, nous le croyons fermement, constituent rien de plus et rien de moins que de « petits miracles ».

Et c'est précisément en ce moment que nous avons besoin de « petits miracles » dans nos vies — maintenant plus que jamais auparavant.

Pourquoi le fait de considérer les coïncidences comme de « petits miracles » est-il essentiel à notre croissance spirituelle et personnelle?

Lorsqu'une personne relègue avec indifférence les « coïncidences » au rang de simples hasards ou d'événements purement fortuits, elle se rend à elle-même — de même qu'à l'univers — un très mauvais service. Elle s'empêche de vivre un moment divin offert par Dieu, un moment riche et entier dans le grand flux d'énergie dont elle constitue une étincelle. Si elle avait reconnu cette coïncidence pour ce qu'elle est vraiment — c'est-à-dire une légère tape sur l'épaule de la part de Dieu ou carrément un cri lancé par lui : « Bonjour du ciel! » — son étincelle aurait pu se joindre aux autres, éparpillées dans l'univers, pour former une flamme géante. Cette personne aurait emprunté un couloir menant à une autre dimension, et ses jours comme ses nuits auraient été illuminés par une lumière éclatante. Malheureusement, les occasions de transformation infinie se perdent lorsque les « coïncidences » sont perçues de façon terre à terre comme étant simplement de la « chance » ou « l'effet du hasard ».

Combien plus fortunée est la personne suffisamment consciente pour reconnaître les coïncidences pour ce qu'elles sont vraiment : des témoignages mystérieux, magiques et grandioses de la présence de Dieu dans nos vies ordinaires de tous les jours. Cette personne choyée sera assurément habitée par ce que nous aimons appeler un « optimisme spirituel ». Elle ne doutera pas que les événements de sa vie ont un sens, que les « coïncidences » de sa vie ont une raison d'être et que, par-dessus tout, son existence même est sanctifiée par un dessein sacré. Elle saisira le caractère sacré de la vie quotidienne et de son être. Et, dans un monde où les influences nihilistes menacent parfois de nous submerger, c'est le plus grand bonheur qui soit.

Paradoxalement, le fait de croire que les accidents n'existent pas et que tout se déroule selon un ordre préétabli contribue à nous emplir de vigueur et de sérénité. Cela nous incite à examiner nos vies de plus près, et nous rend plus attentifs aux détails. Et, comme on dit souvent, « Dieu se manifeste dans les détails ». Cultiver notre conscience des « coïncidences » qui surviennent dans notre existence éveille en nous joie et gratitude. Nous avons la sensation d'être vraiment les enfants de Dieu et qu'Il est toujours à nos côtés.

Au cours de la tournée que nous avons effectuée l'année dernière pour notre livre *Les petits Miracles*, nous avons pu constater à maintes occasions le rôle étonnant que joue le pouvoir de la foi dans l'orchestration du déroulement de nos vies. Nous avons pu voir à l'œuvre avec une clarté éclatante le principe spirituel selon lequel *la pensée crée la réalité* et que le fait de *vibrer à une certaine énergie attire une énergie semblable.* Qu'entendons-nous par là?

Lorsque vous croyez aux coïncidences, elles se déversent dans votre vie à un rythme vivifiant, presque étourdissant. Lorsque vous avez besoin de quelque chose, et que vous croyez fermement que l'univers est à l'écoute, vous bénéficierez sans l'ombre d'un doute de ses bienfaits si vous lui en faites la demande.

Voici quelques exemples qui illustrent ce point avec éloquence :

Pendant la tournée, nous vivions, respirions, mangions des « coïncidences » en plus d'en rêver et d'en parler. Notre niveau de conscience était de toute évidence au diapason de celui de l'univers. Par conséquent, des choses étranges survenaient presque tous les jours.

Nous avions déjà abondamment parlé de notre envie de rencontrer l'un des plus célèbres écrivains spirituels de notre époque afin de discuter avec lui de *Les petits Miracles*. Comme nous ne le connaissions pas personnellement, la situation comportait certaines difficultés. En effet, comment entrer en contact avec cet homme et lui présenter humblement notre demande? Après avoir exploré de nombreuses possibilités, nous décidâmes que Yitta s'inscrirait à un cours d'une soirée donné par le « gourou ». Nous étions persuadées qu'à un moment ou à un autre pendant la séance de trois heures, une occasion s'offrirait à Yitta, qu'elle saisirait à notre avantage. Malheureusement, la veille du cours, nous apprîmes avec regret que celui-ci avait été annulé en raison d'un problème de santé du professeur. Que faire? C'était une déconvenue, mais nous n'étions pas découragées pour autant. Nous émettions toutes deux des vibrations exprimant un besoin intense de rencontrer cet homme. Dès la semaine suivante, Judith prit l'avion pour Washington, D.C. dans le cadre de la tournée. Après avoir pris place dans le siège qui lui avait été assigné « au hasard », elle découvrit, à son grand étonnement et à sa plus grande joie… que son voisin de siège n'était autre que le gourou spirituel que nous cherchions à rencontrer! Non seulement eurent-ils une conversation animée pendant toute la durée du vol, mais après s'être échangé l'histoire de leurs vies respectives, découvrirent qu'ils avaient habité dans la même maison de Crown Heights, à Brooklyn, à l'époque où Judith faisait ses premiers pas et où le chef spirituel était étudiant à l'université. De plus, comme si ce n'était pas suffisant, les parents de ce dernier avaient été propriétaires de l'appartement occupé par les parents de Judith, bien des années auparavant!

Un jour de printemps, Yitta, en tournée pour le livre à Brookline, au Massachusetts, errait de bon matin dans un dédale de rues résidentielles bordées d'arbres feuillus à la recherche d'un restaurant où prendre le petit déjeuner. Malheureusement, elle finit par se perdre irrémédiablement. Elle aborda la première personne qu'elle rencontra pour demander des indications, lui expliquant qu'elle venait de New York et qu'elle ne connaissait pas le quartier. L'homme sourit agréablement et répondit qu'il était également originaire de New York, puis lui demanda son nom. Lorsqu'elle se présenta, le sourire de l'homme se figea, et il recula de quelques pas pour la regarder, l'air incrédule. Après avoir repris contenance, il se présenta à son tour : « Je suis Yitzhak Halberstam, dit-il simplement, votre cousin! Nous nous sommes perdus de vue il y a une éternité! »

L'une de nos histoires favorites dans *Les petits Miracles* portait sur l'émission spéciale présentée dans le cadre du *Oprah Winfrey Show* à l'occasion de la Saint-Valentin de l'année 1996. On y voyait un couple âgé, marié depuis plus de cinquante ans. Nous avons écrit cette histoire à partir de la transcription de l'émission, sans néanmoins réussir à retrouver ces deux personnes, ce qui nous avait beaucoup attristées. Nous avions souvent parlé de notre ardent désir de les rencontrer, mais elles avaient demandé aux producteurs de l'émission de préserver leur anonymat. Tous les renseignements les concernant étaient donc demeurés confidentiels, et nous ignorions totalement où elles habitaient. Un soir que Judith faisait une causerie à la librairie Barnes and Noble de Bayside, à Queens, un homme, assis à l'arrière de la salle, leva soudainement la main pendant la période de questions qui suivit. « Page 129 », annonça-t-il fièrement. « Euh... excusez-moi? » bredouilla Judith, troublée. « Notre histoire figure à la page 129 de votre livre », répéta l'homme avec affabilité. C'était le couple de la Saint-Valentin qui avait été invité à *l'émission d'Oprah Winfrey*, les deux personnes que nous désirions rencontrer depuis si longtemps!

Au cours d'une autre période de questions, cette fois à la suite d'une conférence donnée devant huit cents personnes à Baltimore, une femme se leva pour exprimer son accord avec notre conception des coïncidences, que nous venions juste de développer. « Lorsque j'ai besoin de quelque chose, commença-t-elle, confiante, je parle simplement à Dieu. Je lui dis ce que je veux, et il me le donne. » Elle déclara par la suite qu'elle gagnait toujours les prix de présence aux soirées où elle se rendait, et qu'il s'agissait chaque fois d'articles dont elle avait besoin. À la suite de cette intervention, la période de questions prit fin pour faire place à la deuxième partie de la soirée, le tirage d'une loterie. Lorsque le gagnant du premier prix — choisi au hasard sur la scène par Yitta, qui, les yeux bandés, plongea la main dans une boîte contenant des centaines de billets — fut annoncé, l'auditoire émit un cri de surprise. Devinez qui avait gagné?

Lorsque nous prions, nous parlons à Dieu. Quand des « coïncidences » surviennent, c'est Dieu qui nous parle. Être à l'écoute de ces moments, c'est être réellement réceptif à l'appel du divin, qui se manifeste tous les jours.

Mais en plus de nous fournir un témoignage de la présence divine dans un contexte d'une grande pauvreté spirituelle comportant peu d'indices utiles, les « coïncidences » renferment également de précieuses leçons morales et de profonds enseignements. Un grand nombre des histoires présentées dans le présent ouvrage tournent autour du concept de « karma », sorte de remboursement qu'une personne reçoit de l'univers et manifestation du principe selon lequel « comme on fait son lit, on se couche ». Certaines histoires illustrent les diverses façons dont l'univers peut répondre — par le truchement d'une soi-disant coïncidence — à une question ou à une prière. Enfin, d'autres confirment le vieil adage disant que l'on récolte toujours ce que l'on a semé.

Lorsqu'une « coïncidence » survient et que nous comprenons le message qui nous est envoyé, nous éprouvons une délicieuse sensation de communion et d'harmonie avec l'univers. Nous sentons que nous faisons partie du grand Tout, et que le simple fait d'assimiler ces messages — ces petits bulletins envoyés par Dieu — nous donne la possibilité de grandir moralement et spirituellement.

Nous sommes comblés de bonheur lorsque des coïncidences se manifestent dans nos vies, car nous les considérons comme une bénédiction et un cadeau. Beaucoup de gens se lamentent de l'absence, en cette fin de siècle, de miracles ayant lieu ouvertement, au grand jour, et prétendent qu'il est par conséquent difficile de garder la foi. Les eaux des mers ne se séparent pas, Dieu ne s'adresse pas à nous en apparaissant dans une colonne de feu et les êtres humains désobéissants ne sont pas transformés en statues de sel. Et, c'est vrai, les miracles plus grandioses et apocalyptiques de jadis ne sont plus monnaie courante. Néanmoins, nous maintenons que les « petits miracles » sont partout et que la conscience de leur existence peut mener à un renouvellement de notre foi.

Bien des gens nous ont écrit ou dit qu'après avoir lu *Les petits Miracles*, d'importants changements ont commencé à se produire dans leur vie, et qu'aussitôt qu'ils eurent ouvert leur cœur aux « coïncidences », celles-ci n'ont cessé de se manifester. Certains se sont mis à revoir leur passé avec un regard différent et ont constaté que des miracles avaient peuplé leur existence depuis toujours, mais qu'ils ne les appelaient tout simplement pas par leur vrai nom! Nous espérons qu'un nouvel éveil se produira dans votre existence à la lecture de ce livre, et que vous pourrez vous aussi faire l'expérience des merveilles, de l'abondance et des splendeurs d'une vie qui vibre à l'unisson avec celle de tous ceux qui croient aux « petits miracles ».

Albert Einstein a dit un jour : « Il n'existe que deux positions possibles : ou vous croyez que la vie est entièrement dénuée de miracles, ou vous croyez que *toute chose* dans la vie relève du miracle. »

Il est clair que les personnes qui adoptent la deuxième attitude auront un voyage de vie davantage marqué par la joie, le sens et le sublime.

En ouvrant les pages de ce livre, vous avez déjà entrepris ce voyage.

Cheminez avec nous vers la Lumière, et chérissons et recevons ensemble la joie qui accompagne toujours les « petits miracles ».

N.B : Les noms suivis d'un astérisque sont des pseudonymes.

$\mathcal{E}$lle voulait aller vivre à la campagne, pour que son âme de poète trouve sa muse ainsi qu'une source d'inspiration.

J'étais un journaliste ambitieux dont le pouls accélérait au son d'une sirène de police ou du hurlement d'une ambulance — j'aimais le rythme accéléré le la vie urbaine, son crépitement d'énergie, le mélange de différentes langues et la rumeur âpre de la survie. De plus, j'étais une jeune étoile montante dans le monde des nouvelles télévisées, et il m'était impossible de quitter l'emploi que j'occupais dans une importante station. La campagne ne pourrait rien m'apporter, et l'idée de voyager soir et matin entre la maison et le travail me rebutait.

Comme toujours dans notre mariage, c'est à elle qu'il incomba de faire un sacrifice et de remettre son rêve à plus tard.

« Au moins, soupira-t-elle avec résignation, j'aimerais que nous ayons un grand jardin avec beaucoup d'arbres, de buissons, de fleurs et d'oiseaux. »

Je lui en fis la promesse et tins parole.

La maison était petite mais dotée d'une galerie circulaire qui donnait sur un immense et magnifique terrain. Vaste étendue d'herbe luxuriante, il était parsemé d'arbres majestueux et de taillis à feuillages persistants et comportait même un jardin de roses ainsi qu'un plant de légumes.

« C'est parfait! dit-elle dans un souffle. C'est une petite oasis où je peux me réfugier; où *nous* pouvons nous réfugier », corrigea-t-elle en me jetant furtivement un regard du coin de l'œil.

« Promets-moi que tu viendras t'asseoir ici avec moi de temps en temps pour simplement t'imprégner de la beauté du paysage », supplia-t-elle.

Je me mis à rire. J'avais épousé une hippie des années quatre-vingt-dix, qui s'intéressait à la méditation et aux médecines douces, et dont l'âme était remuée à la vue d'une verte pelouse onduleuse. Nous étions si différents — mais elle apportait dans ma vie une sorte de musique que je n'avais jamais vraiment entendue auparavant.

Je tins également cette promesse. De temps en temps, j'allais la rejoindre sur la galerie et, malgré moi, me sentais ému par ce spectacle idyllique. Parfois nous transportions nos chaises dans la cour et nous installions sous les branches entrelacées des vieux chênes, qui formaient une voûte au-dessus de nos têtes.

Un mois après avoir emménagé, nous les avons aperçus. Un couple de cardinaux, dissimulés derrière les taillis, se posa soudainement sur le sol dans un éclair de couleurs éclatantes et chaudes, à quelques mètres seulement d'où nous nous trouvions.

« Regarde! s'exclama-t-elle avec l'enthousiasme d'un jeune enfant, c'est le mari et l'épouse!

— Les cardinaux se marient? la taquinai-je.

— Ils s'accouplent pour la vie, dit-elle.

— Je ne savais pas, répondis-je.

— On ne voit jamais, jamais de femelle cardinal sans le mâle. Et ce qui est bien, c'est qu'il lui manifeste toujours une grande déférence. Il la laisse toujours se nourrir en premier. Je trouve cela vraiment adorable.

— Mais comment peux-tu déterminer qui est le mâle et qui est la femelle? demandai-je, confus.

— Oh, dit-elle en riant, on voit bien que tu ne connais rien aux oiseaux. Aucun oiseau n'est plus facile à identifier que le cardinal mâle : il est presque entièrement rouge sauf la face, qui est frappante parce que toute masquée de noir. Et, regarde, la couleur de la femelle est un mélange de brun chamois et de vert olive teinté de jaune.

— Tu ne cesseras jamais de m'étonner avec toutes les choses que tu sais, dis-je.

— Et attends de les entendre chanter! s'exclama-t-elle avec enthousiasme. Ce sont de fiers musiciens. Leur chant est très distinctif et très beau, et rappelle le tintement d'une petite cloche. Ils peuvent chanter des airs différents. Leur chant d'hiver ressemble un peu à « puiiit, puiiit », tandis que leur chant du printemps est plus perçant et poignant : c'est une série de sons qui vont en décroissant et se transforment en une espèce de charmant gazouillis, un peu comme « ching ching » ou « ding ding ».

— Lorsqu'ils te regardent, dis-je amoureusement, je suis sûr qu'ils entonnent leur plus beau chant.

— Oh, toi! s'exclama-t-elle en riant, en m'embrassant tendrement sur la joue.

Pendant des mois, les cardinaux nous rendirent visite régulièrement. Sachant qu'ils étaient friands de graines de tournesol, elle en gardait toujours un énorme sac dans le placard à provisions. Les deux oiseaux s'attachèrent à nous autant qu'ils étaient fidèles l'un à l'autre. Ils s'enhardissaient de plus en plus chaque jour, jusqu'à s'approcher à un ou deux mètres de nous. Ils se tenaient toujours devant nous, comme le reflet d'un miroir, la femelle face à mon épouse et le mâle face à moi. Ils nous regardaient attentivement, et nous faisions de même. Ma femme aimait à croire que les deux cardinaux constituaient une métaphore de la vie, ou du moins, de *notre vie*. Nous avions le sentiment d'être tous liés de manière cosmique. Même moi, retranché derrière mon cynisme, je commençais à sentir l'existence d'un lien qui était plus fort que nous tous réunis.

Puis quelque chose d'étrange, de mystérieux et d'inhabituel commença à se produire — quelque chose qui, selon ma femme, l'experte en la matière, dérogeait assurément au comportement normal des cardinaux.

Lorsque mon épouse s'asseyait sans moi dans la cour, seule la femelle lui rendait visite. Et lorsque j'allais me détendre, seul, en m'allongeant dans la chaise longue du jardin, le mâle se présentait sans sa compagne. Mais lorsque nous étions tous deux à l'extérieur, les oiseaux venaient en couple, et se tenaient en face de nous côte à côte, comme toujours. C'était comme si les deux volatiles constituaient un reflet de plus en plus fidèle de notre vie.

Puis un jour, nous avons cessé de nous asseoir ensemble à l'extérieur.

C'était une leucémie fulgurante, dirent les médecins, qui l'emporta très vite. Six semaines après le diagnostic, elle n'était plus.

Au début, je ne pouvais absolument pas sortir dans la cour. Elle renfermait trop de souvenirs de nos meilleurs moments ensemble, lorsque je la prenais dans mes bras et où elle faisait fondre mon cœur. Puis j'ai voulu me rendre dans le lieu où le souvenir de la femme que j'aimais était le plus intense, et c'était là, dans la cour, au milieu de cette nature qui la remuait si profondément.

Je me hasardai donc à l'extérieur, parcourus des yeux l'abondante végétation qui lui transportait l'âme et pris place dans la chaise longue, demeurée à l'endroit même où je l'avais laissée. Je m'allongeai, couvris mon visage de mes mains, et mes larmes se mirent à couler.

C'est à ce moment-là que je l'ai entendue... c'était une superbe harmonie, un chant splendide. Je levai les yeux et vis le cardinal mâle, seul, se tenant devant moi, à un ou deux mètres de distance. Je m'imaginai qu'il avait une expression de tristesse et qu'il était venu m'offrir ses condoléances.

Aucune trace de la femelle.

Et comme me l'avait dit mon épouse, le chant du printemps était bel et bien différent de celui de l'hiver. L'hiver, ils n'émettaient qu'une seule note, mais maintenant l'oiseau entonnait une série de sons qui allaient en décroissant pour se transformer en un charmant gazouillis.

Je peux jurer sur ma vie que ce que j'ai entendu ce jour-là était l'expression de la commisération du cardinal, un chant qui ressemblait à « ching ching » ou « ding ding ».

Maintenant, je vais toujours trouver refuge dans la chaise du jardin, qui est devenue à la fois mon sanctuaire et mon lieu de deuil, et le cardinal revient chaque fois fidèlement me tenir compagnie, seul.

— *Steven Richards**

Commentaire

Il existe une mélodie qui palpite dans l'univers, et son refrain dit que nous ne faisons qu'un.

*P*endant toute sa vie, Andy Golembiewski fut reconnu à la fois comme un être espiègle qui aimait jouer des tours et un bon Samaritain au cœur d'or. Propriétaire de la taverne Andy's Bar and Grill, à Lawrenceville, il était devenu une institution dans le quartier et avait la réputation de jouer des tours à ses clients, mais aussi de leur prêter de l'argent dans les temps difficiles. Il croyait qu'aider un autre être humain dans le besoin était la meilleure chose qu'une personne pût accomplir. Au cours de sa vie, il avait subvenu adéquatement aux besoins des membres de sa famille, et ceux-ci étaient d'avis qu'il continuait de le faire après sa mort, par des voies impénétrables.

À l'âge de quatre-vingt-trois ans, Andy apprit qu'il était atteint d'un cancer de la prostate, et durant l'été 1997 son état s'aggrava considérablement. Une nuit, en août, il sombra dans le coma et sa famille éplorée se réunit à son chevet, se préparant au pire. Lorsque tout espoir d'amélioration se fut envolé, et après avoir été inconscient pendant des heures, Andy se mit tout à coup à battre des paupières. Ses doigts commencèrent à trembler et son corps à frissonner. Puis il ouvrit tout grand les yeux et son regard, plein d'intelligence et de lucidité, parcourut la pièce. Il s'appuya sur ses avant-bras, regarda sa petite-fille Debra White dans les yeux et dit, clairement et à voix haute : « 1... 6... 9... 5. » Puis, il perdit connaissance et s'affaissa sur le lit aussi soudainement qu'il s'était réveillé, et rendit l'âme quelques heures plus tard.

Les membres de sa famille ne savaient que penser. Ils s'accordaient tous pour dire qu'Andy avait semblé parfaitement sain d'esprit et rationnel quand il avait prononcé les quatre chiffres. Mais que signifiaient-ils? Tous s'étaient accrochés à l'espoir qu'Andy allait émerger du coma pour recevoir l'expression de leur amour et échanger une dernière étreinte. Ils auraient souhaité entendre de sa part des témoignages d'amour, ou quelque ultime perle de sagesse couronnant son existence et tenant lieu de testament. Mais... des numéros? Quel étrange message d'au revoir!

« Ce furent ses toutes dernières paroles, affirma sa bru, Millie Golembiewski. Personne ne put déterminer la signification de ce nombre. Il ne s'agissait ni de la date d'anniversaire, ni du numéro de téléphone, ni de l'adresse de quiconque d'entre nous. Rien ne les expliquait. »

Pendant les heures qui suivirent, la famille demeura perplexe. Ils ne pouvaient s'empêcher d'être convaincus que les mots d'Andy avaient une importance, et ils s'acharnaient à vouloir découvrir le sens de cette communication. Que pouvaient signifier ces chiffres?

C'est Tony, le fils d'Andy, qui finit par suggérer de jouer à la loterie Big Four, dont le tirage était prévu pour le lendemain.

Le soir du tirage, ils célébraient une victoire bizarre et douce-amère : ils étaient devenus les heureux gagnants d'un montant de 23 500 $.

« Andy! s'écria sa veuve lorsque le numéro gagnant fut annoncé. Ta famille te tient tellement à cœur que tu as même payé tes propres funérailles! »

Cette victoire était d'autant plus ironique, dirent plus tard aux journalistes les membres de la famille, que de son vivant, Andy s'opposait au jeu et n'avait jamais tenté sa chance à la loterie, pas même une seule fois.

« Il aimait jouer des tours, dit sa petite-fille. Je crois que là-haut, il se bidonne à l'idée que nous n'avons payé que un dollar pour acheter le billet. »

« Il avait si bon cœur, dit un autre membre de la famille à une équipe de télévision, qu'il a tenu à s'occuper des siens même après sa mort. »

$\mathcal{P}$ar une chaude journée d'été, un jeune couple et leur petite fille de quatre ans, Tzippie, se rendaient à la montagne pour y passer quelques semaines de vacances. Soudain, un énorme camion qui roulait en sens inverse entra en collision frontale avec la petite voiture. Le couple subit des blessures graves et Tzippie eut de multiples fractures. On transporta immédiatement la petite famille à l'hôpital le plus proche, où Tzippie fut admise à la section des soins pour enfants et ses parents furent dirigés vers le service des soins intensifs. Comme nous pouvons nous l'imaginer, non seulement la petite souffrait-elle d'intenses douleurs, mais elle avait également très peur car ses parents n'étaient pas avec elle pour la réconforter.

Martha, l'infirmière affectée à Tzippie, était une femme célibataire d'âge mûr. Elle comprenait la peur et l'insécurité de l'enfant et lui devint très dévouée. À la fin de son quart de travail, elle s'offrait pour demeurer auprès de Tzippie pour la soirée au lieu de rentrer chez elle. Bien sûr, cette dernière s'attacha beaucoup à l'infirmière, qui répondait à ses moindres besoins. Martha lui apportait des biscuits, des livres d'images et des jouets; elle lui chantait des chansons et lui racontait d'innombrables histoires.

Lorsque Tzippie fut en mesure de bouger, Martha l'installa dans une chaise roulante et l'emmena visiter ses parents tous les jours. Bien des mois plus tard, la famille put enfin sortir de l'hôpital. Avant leur départ, les parents louèrent Martha pour ses soins dévoués et affectueux et l'invitèrent à leur rendre visite. Quant à Tzippie, elle n'acceptait pas de quitter son infirmière préférée et insista pour qu'elle vienne habiter avec sa famille. Martha ne voulait pas non plus être séparée de sa petite Tzippie, mais elle avait consacré sa vie à son travail dans la section des enfants de l'hôpital et ne pouvait quitter son emploi. Les larmes aux yeux, Tzippie et la chaleureuse infirmière s'échangèrent donc un triste au revoir. Pendant quelques mois, la famille maintint une relation étroite avec Martha — par téléphone seulement, étant donné qu'ils vivaient à une grande distance de chez elle. Toutefois, lorsqu'ils déménagèrent à l'étranger, cette communication prit fin.

Plus de trente années passèrent. Un hiver, Martha, qui avait dans les soixante-dix ans, fut admise au service gériatrique d'un hôpital de son quartier en raison d'une grave pneumonie. Remarquant que Martha recevait très peu de visiteurs, une des infirmières en service fit de son mieux pour prodiguer des soins spéciaux à la vieille dame. Ce faisant, elle se rendit compte que celle-ci était une personne sensible et intelligente.

Un soir que l'infirmière était assise au chevet de sa patiente et qu'elles bavardaient toutes deux doucement, elle lui raconta ce qui l'avait incitée à choisir ce métier. Lorsqu'elle avait quatre ans, expliqua-t-elle, et que ses parents avaient été blessés dans un accident de la route, une merveilleuse infirmière l'avait aidée à guérir grâce à son dévouement attentionné et affectueux. Plus tard, elle décida qu'elle aussi deviendrait infirmière et aiderait les autres — les jeunes comme les vieux — tout comme l'infirmière l'avait fait pour elle.

Après avoir obtenu son diplôme d'une école de soins infirmiers à l'étranger, elle avait rencontré un jeune homme qui venait des États-Unis, et tous deux allèrent vivre au pays de l'oncle Sam après leur mariage. Quelques mois auparavant, ils avaient déménagé dans cette ville, où son mari s'était vu offrir un excellent emploi, et c'est avec bonheur qu'elle avait obtenu un poste dans cet hôpital. En écoutant l'histoire de l'infirmière, la vieille dame se mit à verser des larmes, réalisant qu'il s'agissait sûrement là de sa petite Tzippie, dont elle avait pris soin après son accident.

Lorsque l'infirmière se tut, Martha lui dit doucement : « Tzippie, nous sommes de nouveau réunies, mais cette fois c'est *toi* qui prends soin de *moi*! » Tzippie écarquilla les yeux en regardant Martha, la reconnaissant soudain. « Est-ce vraiment vous? s'exclama-t-elle. Combien de fois j'ai pensé à vous et prié qu'un jour nos chemins se croisent encore! »

Lorsque Martha guérit de sa maladie, Tzippie — cette fois-là — ne se contenta pas de la supplier de venir vivre avec sa famille. Elle fit plutôt les bagages de la vieille dame et l'emmena avec elle à la maison. Elles vivent encore ensemble aujourd'hui, et les enfants de même que le mari de Tzippie ont accueilli Martha comme une grand-mère très spéciale.

— Ruchoma Shain

Commentaire

Dans le grand cercle de l'amour, toute personne se trouve tour à tour en position de donner et de recevoir. D'abord nous sommes dans une position, puis dans l'autre... et la roue continue de tourner et tourner.

*N*ous vivons dans une ville de campagne du Montana — le genre de petit patelin où tout le monde connaît ses voisins. Le nombre de résidents recensés ne dépasse pas les 1 000 âmes. Ici, les hivers sont longs et froids. Ainsi, lorsque des amis du sud de la Californie nous invitèrent à leur rendre visite, mon frère Steve et moi décidâmes de ne pas laisser passer cette occasion unique. Pendant une semaine, nous allions pouvoir profiter de la chaleur et nous détendre en compagnie de nos épouses et de nos quatre enfants, pendant les vacances de Noël. Les enfants avaient particulièrement hâte de visiter Disneyland.

Nous commençâmes à préparer ces vacances deux mois à l'avance. Nous étions d'avis qu'il serait économique de voyager tous ensemble dans un véhicule récréatif suffisamment vaste et confortable pour nous contenir tous. Notre mère, qui était professeur de première année et qui était également en vacances à Noël, nous demanda si elle pouvait nous accompagner. En fait, elle insista pour venir. Cette décision me sembla étrange, car mon père n'avait manifesté aucun intérêt pour ce projet et, naturellement, préférait rester chez lui. Pas question pour lui de faire un long trajet dans une fourgonnette pleine à craquer. Mais en voyant la lueur de convoitise qui brillait dans le regard de ma mère, nous n'avons pas pu nous empêcher de lui dire : « Bien sûr, tu es la bienvenue. »

Nous avons roulé pendant deux jours avant d'arriver au domicile de nos amis, au sud de Los Angeles. Le lendemain, nous nous prélassions tous sous le soleil, à Disneyland. L'endroit surpassait les rêves les plus fous de nos enfants. Les deux jours suivants, nous visitâmes d'autres attractions touristiques de la région.

Pour le dernier jour des vacances, tous les membres de la famille votèrent pour retourner à Disneyland. De mon côté, j'avais autre chose en tête — du moins en ce qui me concernait. J'annonçai à ma famille que je désirais aller à l'aventure, seul, à la découverte de Los Angeles. Je prévoyais emprunter les transports publics pour me rendre jusqu'à la grande ville — qui, je le savais, n'avait rien de commun avec notre petite ville natale.

La veille, mon hôte me donna de précieux renseignements. Nous avons tracé un plan pour que je puisse profiter au maximum des quelques heures que je passerais à Los Angeles et — chose importante — il me remit une carte du centre-ville pour m'éviter de me perdre. Ce soir-là, j'allai au lit surexcité, impatient d'entreprendre mon aventure du lendemain.

Le matin venu, au moment où mon hôte s'apprêtait à me conduire à l'arrêt d'autobus, j'aperçus ma mère s'approcher en courant de la voiture. Elle avait d'abord prévu aller avec les autres, mais, soudainement, avait décidé de passer la journée avec moi. Je lui dis : « Maman, ce n'est pas une bonne idée. Il se peut que nous nous perdions et que nous aboutissions accidentellement dans un coin mal famé de la ville. » Nous avons continué à discuter, mais elle ne voulait rien entendre. Rien ne pourrait la faire renoncer à cette idée. Je dus m'avouer vaincu, et elle prit place dans la voiture.

La première partie du trajet en autobus vers la ville fut très agréable. Ma mère et moi eûmes une conversation animée sur la famille et les amis. Arrivé dans le noyau central de la ville, l'autobus s'arrêtait à toutes les deux rues pour faire monter et laisser descendre des passagers de toutes les nationalités, couleurs et niveaux de vie imaginables. Soudain, je me rendis compte que maman et moi formions à nous deux une minorité. Nous gardâmes néanmoins notre calme, car nos hôtes nous avaient assuré que le trajet ne comportait aucun danger.

Toutefois, à mesure que nous approchions d'un quartier plutôt délabré, je commençais à m'inquiéter. Même si nous étions en plein jour, je sentis que j'avais fait une grave erreur en emmenant ma mère dans cette partie de la ville. Au dernier arrêt de la ligne d'autobus, le chauffeur remarqua notre inquiétude. « Ne craignez rien, dit-il, vous n'êtes qu'à cinq minutes du centre-ville. Les autres chauffeurs pourront aisément vous indiquer le chemin. »

En sortant de l'autobus, nous constatâmes que nous étions entourés de vieux bâtiments délabrés et de clochards. Un sentiment de crainte commença à naître en nous. Avant d'aborder qui que ce soit pour savoir où prendre un autre autobus, nous décidâmes de trouver un endroit où nous reposer et laisser baisser notre pression sanguine. Sans nous éloigner l'un de l'autre, nous commençâmes à marcher, à la recherche d'un commerce ou d'un restaurant dotés d'une salle de bain. Nous n'avions aucune envie de passer du temps ou de dépenser de l'argent dans ce quartier. En cherchant des deux côtés de la rue, nous finîmes par trouver un commerce qui répondait à nos besoins temporaires, puis fîmes chacun notre tour usage de la salle de bain pendant que l'autre surveillait.

À la sortie du magasin, nous tournâmes à droite et, sans crier gare, tombâmes face à face avec ce qui devait être la surprise de notre vie. Devant nous se tenait un clochard. Ses cheveux étaient longs et sales, et sa barbe touchait presque sa ceinture. Ses vêtements tachés pendaient de son corps maigre. J'étais incapable de le regarder, mais je ne pouvais pas faire autrement. C'était mon frère, Doug, le premier enfant de ma mère. Jadis athlète vedette du lycée, puis diplômé universitaire, puis ancien combattant de la guerre du Vietnam, il n'était plus que l'ombre de lui-même. Il ne s'était jamais remis de cette terrible expérience, et avait depuis sombré dans la schizophrénie. Il se borna à nous dire : « Bonjour, qu'est-ce qui vous amène ici? »

Il n'y avait vraiment rien à dire. Ma mère l'enlaça, puis repoussa les mèches de cheveux de son visage. J'essuyai mes larmes. Deux ans auparavant, par une chaude journée d'été, Doug était monté dans un autobus Greyhound sans prévenir qui que ce soit, à destination de Los Angeles, ville de 13 millions d'habitants. Il avait loué un appartement pendant quelques mois jusqu'à ce qu'il ait épuisé ses économies. Depuis lors, il avait vécu dans la rue, mendiant sa nourriture et dormant dans des entrées sous des couvertures de carton.

Cette rencontre inattendue était notre premier contact avec lui en deux ans. Je comprenais pourquoi ma mère avait tenu à m'accompagner ce jour-là. Elle avait une mission, et elle l'avait accomplie.

En quittant Doug au milieu de cette morne rue, ma mère et moi étions certains de ne plus jamais le revoir. Heureusement, il en fut tout autrement. Quelques mois plus tard, Doug revint au

Montana de son propre chef, et je l'aidai à s'installer dans les locaux de l'organisme de charité de la ville, la Rescue Mission. Depuis dix ans, je le lui rends visite chaque dimanche après-midi, et nous buvons un café et mangeons une pointe de tarte ensemble. Il est maintenant en mesure de travailler quelques heures par jour au magasin d'occasions de la Rescue Mission. Il me raconte les découvertes qu'il fait à l'occasion de ses interminables promenades à pied dans la ville. Bref, il en est venu à se bâtir une existence qui lui appartient et qu'il considère satisfaisante et utile.

Même s'ils habitent à deux heures de notre ville, mon père et ma mère rendent visite à Doug chaque mois. Environ deux fois par année, celui-ci prend l'autobus — non pas pour disparaître comme il le fit jadis — mais pour retourner dans sa maison natale et passer quelques jours avec ses parents. Voyant Doug en paix avec lui-même et heureux dans son singulier univers, je comprends maintenant que cela n'aurait jamais pu se produire si, un jour de décembre, ma mère et moi n'avions pas pris cet autobus fatidique vers Los Angeles.

— *Dave DeBoer*

Commentaire

L'univers fournit son propre système de transport pour nous mener aux endroits où il importe le plus que nous soyons.

*E*n 1919, mon grand-père, Aaron Lazer, était un jeune étudiant vivant dans l'indigence avec sa femme, qui était enceinte. Il travaillait à temps partiel dans la boutique de sa mère dans la ville de Koscive, en Tchécoslovaquie, mais il n'en tirait qu'un maigre salaire et les gains de la boutique n'étaient pas suffisants pour subvenir aux besoins de deux familles. Sa mère lui annonça donc un jour avec regret que le temps était venu pour lui de survivre par ses propres moyens. Ce qu'il fit.

En fait, Aaron *voulait* se débrouiller seul — être autosuffisant et autonome — et il croyait posséder l'initiative et le bon sens nécessaires pour devenir un homme d'affaires prospère. Il se mit donc à chercher ce qu'il pourrait faire pour lancer sa carrière.

La Première Guerre mondiale venait de prendre fin, et la Tchécoslovaquie était frappée par une série de graves pénuries de nourriture et d'autres denrées. L'industrie des articles de cuir était touchée particulièrement durement, et il était devenu difficile de trouver des chaussures solides et de bonne qualité. À cette époque, par la force des choses, la plupart des chaussures étaient fabriquées avec du carton et du papier, et ne duraient pas longtemps. Mon grand-père décida que c'était le bon moment d'ouvrir un commerce de chaussures et de combler cette importante lacune en offrant des produits solides et durables.

Aaron emprunta 5 000 couronnes — une fortune pour l'époque — et se rendit dans une grande ville à la recherche d'un vendeur de chaussures en gros. Il revint chez lui quelques jours plus tard, fatigué mais heureux. Il avait accompli sa mission. À l'arrière de sa charrette se trouvaient plusieurs boîtes de solides chaussures militaires. Il avait dépensé tout son argent pour acheter cinq cents paires — ce qui était bien sûr risqué —, mais il était convaincu que les habitants de la ville se précipiteraient pour les acheter et qu'il connaîtrait un énorme succès. Imaginez le désespoir d'Aaron lorsque, en ouvrant fièrement les boîtes pour montrer la marchandise à sa famille, il se rendit compte qu'il était devenu propriétaire non pas de cinq cents paires, mais de mille souliers droits!

Des sanglots déchirants jaillirent de sa gorge pendant qu'il fixait, sidéré, la rangée de souliers droits insolemment alignés en une interminable rangée. Pas une seule chaussure gauche!

Sa marchandise n'avait absolument aucune valeur, et il devait d'énormes sommes d'argent à des membres de sa famille, des voisins et des amis qui lui avaient prêté, au prix d'énormes sacrifices personnels, les couronnes qu'ils avaient péniblement amassées au fil des années.

Comment allait-il arriver à se rattraper? Comment pourrait-il jamais rembourser ses emprunts? Comment réussirait-il à subvenir aux besoins de sa femme et de son nouvel enfant? Comment allait-il arriver à sauver la face dans une ville dont l'ensemble des habitants avaient placé leur confiance en lui? Non, non, c'en était trop, et ses hurlements presque inhumains, voire surnaturels, témoignaient de la profondeur de son angoisse.

Tous le pressèrent de retourner sans tarder dans la grande ville, de retrouver le vendeur sans scrupules de qui il avait acheté la marchandise et d'exiger un remboursement. Mais lorsqu'Aaron se présenta au marché où il avait rencontré l'homme, celui-ci avait disparu. Personne ne semblait savoir quoi que ce soit à son sujet — qui il était, où il habitait, les autres endroits où il faisait affaires. Aucune piste ne menait vers lui. C'était comme s'il n'avait jamais existé. Aaron se demanda même si toute l'affaire n'avait été qu'une hallucination. Mais non, le cauchemar était bien réel : il avait mille chaussures droites dans sa charrette et tout son argent s'était envolé.

Il retourna à la maison, abattu et inconsolable. En considérant avec inquiétude son visage blême et triste, sa femme le pressa de rendre visite à la personne la plus fiable qu'ils connaissaient, un homme pieux vivant à Koscive et reconnu pour sa sagesse tranquille et sa force spirituelle. « Ne baisse pas les bras! l'encourageait-elle. Cet homme a aidé de nombreuses personnes. Peut-être pourra-t-il t'aider toi aussi. »

Aaron essaya de faire bonne contenance en entrant dans le bureau du sage, mais aussitôt qu'il en eut franchi le seuil, il éclata en sanglots. Pendant qu'il décrivait la terrible fraude dont il venait d'être victime, une expression de profonde sympathie pouvait se lire dans le visage du vieil homme. Ses paroles furent bienveillantes et sincères.

« Voici ce que tu dois faire, murmura-t-il doucement. Va t'en prier. Récite des psaumes et Dieu te viendra en aide. Garde la foi et tout ira bien. »

Aaron obéit et suivit le conseil du sage. Il se retira dans une synagogue afin de prier. Pendant plusieurs jours, il pleura et pria, pria et pleura, ne pensant qu'à ses tourments, incapable de voir autre chose. Des torrents de larmes inondaient ses joues. Indifférent à son entourage immédiat, il s'était entièrement abandonné à sa douleur. Il était tellement tourmenté par son malheur qu'il ne remarquait même pas que des fidèles pleins de sympathie s'approchaient sur la pointe des pieds de sa silhouette sanglotante ou que son épouse compatissante lui apportait des plats de nourriture chaude qu'il avalait machinalement. Il était devenu si obsédé par les pensées d'échec et de ruine qui le torturaient qu'il ne remarqua rien lorsqu'un étranger entra, se retira dans un coin isolé et se mit lui aussi à pleurer. Mais lorsque les pleurs à fendre le cœur du nouveau venu se transformèrent en d'horribles cris, une brèche s'ouvrit dans l'indifférence blindée d'Aaron.

Les hurlements de l'homme le déchirèrent et le firent émerger de l'état de stupeur où il était demeuré pendant plusieurs jours. Il ne le connaissait pas, mais l'intensité de ses cris lui était familière. De toute évidence, il souffrait d'une profonde douleur émotionnelle. Péniblement, Aaron se leva de son siège et traversa la salle jusqu'à lui. Vu l'état où il se trouvait lui-même, il ne savait pas s'il possédait les ressources nécessaires pour réconforter qui que ce soit, mais il n'y avait personne d'autre dans la synagogue et l'homme avait clairement besoin d'aide.

En s'approchant du malheureux, il remarqua que celui-ci avait sur les genoux un livre de psaumes, dont il récitait des passages entre deux sanglots.

« Bienvenue, dit Aaron, lui tendant la main. Je vous ai entendu pleurer et je compatis avec vous de tout mon cœur. Y a-t-il quelque chose que je puisse faire pour vous aider? »

L'étranger secoua tristement la tête. « Personne ne peut m'aider, cria-t-il avec découragement. J'ai emprunté une grosse somme d'argent pour acheter des marchandises pour mon entreprise. Hélas, j'ai eu la malchance de tomber sur un marchand malhonnête qui m'a roulé. Je croyais acheter cinq cents paires de chaussures militaires, mais les boîtes ne contenaient pas des paires mais seulement mille *souliers gauches*! »

L'étranger aux yeux rougis, qui regardait tristement dans les yeux rougis de mon grand-père, fut surpris d'y voir soudain danser une lueur de bonheur.

« Mon cher ami, dit mon grand-père en entourant d'un bras consolateur les épaules de celui qui allait devenir son associé, j'ai d'excellentes nouvelles pour vous. »

Mon grand-père et l'étranger formèrent des paires avec les chaussures (elles étaient parfaitement assorties), les vendirent et en obtinrent un très gros montant d'argent. Par la suite, mon grand-père devint un homme très riche, et cet incident lui fit faire bonne figure non seulement dans les milieux financiers tchécoslovaques mais aussi dans les annales de notre famille.

— *Chayke Lobl*

Commentaire

Dans toute entreprise, Dieu est le bailleur de fonds.

$\mathcal{R}$ichard Fleming*, homme d'affaires à la retraite, travaillait à la maison un lundi après-midi lorsque le téléphone sonna.

« M. Fleming? dit une voix froide et tranchante. Ici Lauren du bureau du Dr Brown. Je vous appelle pour confirmer votre rendez-vous de demain matin neuf heures.

— Un rendez-vous avec le Dr Brown? » répéta lentement et machinalement M. Fleming. Ne sachant que penser, il fronça les sourcils et se tourna vers son épouse d'un air perplexe.

« Qu'est-ce que c'est? chuchota-t-elle instamment, accourant à ses côtés.

— Est-ce possible que j'aie pris un rendez-vous avec le Dr Brown et que je l'aie complètement oublié? » demanda-t-il, confus.

Il avait consulté le Dr Brown, réputé cardiologue de Manhattan, six mois auparavant et les résultats de son bilan de santé avaient été excellents. Il ne se souvenait pas qu'on lui ait dit de revenir pour un autre examen dans six mois, ni d'avoir pris un rendez-vous.

« Pouvez-vous patienter un moment, je vous prie? » demanda-t-il à la secrétaire pendant qu'il cherchait son agenda. Il avait l'habitude de noter tous ses engagements, et aucune indication ne portait sur un rendez-vous avec le médecin.

« Oh, non! fit-il sans bruit à sa femme en formant les mots avec ses lèvres. Est-ce que je commencerais à souffrir de la maladie d'Alzheimer? »

« Êtes-vous bien certaine que j'ai un rendez-vous? insista-t-il auprès de l'infirmière après avoir repris le combiné.

— Vous êtes bien Richard Fleming? demanda-t-elle, un peu plus brusquement que précédemment.

— Oui, bien sûr.

— Eh bien, M. Fleming, mes dossiers indiquent que vous avez un rendez-vous demain matin à neuf heures.

— Lauren, admit-il, je n'ai aucun souvenir d'avoir pris ce rendez-vous.

— Écoutez, M. Fleming, rétorqua-t-elle d'un ton totalement dénué de courtoisie. Le Dr Fleming est l'un des cardiologues les plus importants et les plus en demande de New York. Pour avoir un rendez-vous avec lui, il faut appeler des mois à l'avance. J'ai une longue liste de personnes qui espèrent une annulation. Si vous ne voulez pas venir, dites-le moi et l'une d'elles prendra votre place. Mais vous devez me prévenir tout de suite si vous viendrez ou non, parce que notre bureau est très occupé et que j'ai autre chose à faire! »

« Que dois-je faire? fit Richard à sa femme.

— Vas-y! répondit-elle en haussant les épaules. Si tu as pris un rendez-vous, ce ne serait pas poli de l'annuler à la dernière minute. »

« D'accord, dit-il à Lauren. Je vais me présenter demain matin.

— Parfait, répondit-elle sur un ton plus amical et moins hostile. Je vous attends demain matin, donc. Vous passerez la série d'examens habituels. Aujourd'hui, détendez-vous et évitez de vous fatiguer. »

Mais Richard Fleming fut incapable de suivre le conseil de la secrétaire. Toute la journée, il se fit du mauvais sang à propos de cet oubli apparent. Un de ses bons amis avait récemment commencé à éprouver d'importantes pertes de mémoire, et on lui avait appris qu'il souffrait peut-être d'un début d'Alzheimer. De toutes les choses terribles qu'il associait avec le vieillissement, ce qui effrayait le plus Richard Fleming était de perdre l'esprit. Son incapacité à se rappeler de ce rendez-vous était-il un signe inquiétant de l'imminence de la maladie?

Le jour suivant, il subit une éprouvante série d'examens au cabinet du Dr Brown. « Lorsque tout sera fini, se promettait-il, je vais lui parler de cette histoire d'Alzheimer. »

Mais il n'en eut pas l'occasion, parce qu'après avoir commencé l'évaluation des résultats, le médecin revint dans la chambre de M. Fleming en affichant une sinistre expression.

« Ce n'était pas trop tôt! s'exclama-t-il. Vous avez de la chance, M. Fleming. Vous avez un grave problème cardiaque et vous allez devoir vous faire opérer immédiatement. » Puis il ajouta : « Heureusement que vous aviez rendez-vous aujourd'hui. Si ce problème n'avait pas été détecté dans les premiers stades, vous auriez éprouvé de graves malaises d'ici un mois ou deux. »

Pendant ce temps, au bureau de la secrétaire, à la réception, un homme furieux causait un certain émoi.

« Que voulez-vous dire, Richard Fleming est déjà dans le bureau du médecin? Mais *je suis* Richard Fleming! »

Une jeune infirmière regarda la secrétaire d'un air entendu en levant les yeux au ciel, comme pour dire : « De nos jours, certains effrontés ne reculent devant aucun moyen pour obtenir un rendez-vous. » Mais lorsque l'homme sortit une carte de rendez-vous officielle qui provenait du bureau du médecin, la secrétaire pâlit, et son regard prit une expression de consternation.

« Voilà! s'exclama-t-il, agitant la carte sous son nez. Voyez vous-même. C'est la date d'aujourd'hui et c'est indiqué neuf heures. » Puis il se mit à lui présenter diverses pièces d'identité qu'il sortait de son portefeuille. « Et voici mon permis de conduire et des cartes de crédit, qui, je suppose, cria-t-il, prouveront que je suis bel et bien Richard Fleming! »

« Alors qui, demanda la jeune infirmière, abasourdie, est l'homme qui se trouve présentement dans le bureau du médecin? »

« Attendez une minute, dit lentement la secrétaire, laissez-moi vérifier mes dossiers. » Elle trouva deux dossiers distincts pour deux Richard Fleming différents — celui qui vivait à Manhattan et qui rageait au bureau de la réception, et l'autre, habitant Brooklyn, qui venait de recevoir un grave diagnostic et qui était en train de se faire expliquer un programme de soins.

La secrétaire avait téléphoné au mauvais Richard Fleming.

Mais en réalité, c'était le *bon* Richard Fleming — celui qui avait besoin que survienne cette coïncidence pour avoir la vie sauve!

Commentaire

Un événement peut être considéré comme une erreur ou un miracle, selon le prisme à travers lequel on voit sa vie.

*R*ien n'est plus pur que la joie qui habite le sourire d'un enfant, et rien ne provoque ce sourire mieux que l'amour… et parfois aussi, le cadeau parfait. Louisa savait déjà tout cela à l'approche du dixième anniversaire de sa fille Stephanie.

Que ne donnerait-elle pas pour faire sourire sa fille adorée! Chaque jour était un défi pour la petite Stephanie, qui était sourde depuis la naissance. Elle vivait dans un monde de silence, sans un écho, sans un bruissement, sans un son. Louisa faisait de son mieux pour élever sa fille avec amour et lui instiller un sentiment de confiance en elle. Elle lui procurait tout ce qu'elle pouvait.

Alors bien sûr, le dixième anniversaire de l'enfant devait être un événement spécial. Toutefois, elle était loin de disposer de moyens illimités pour acheter des cadeaux. En fait, son compte en banque était pratiquement à sec. Le mariage de Louisa avec le père de Stephanie s'était détérioré au fil des ans et finalement, l'année précédente, Louisa avait jugé qu'il valait mieux se séparer. Après le divorce, elle se trouva dans une situation financière difficile, ce qui la rendait nerveuse au moment de faire des dépenses.

« Maman, dit un jour Stephanie en langage par signes, je sais ce que je veux pour mon anniversaire. » Louisa prit une grande respiration, craignant de ne pas être en mesure d'exaucer le souhait de sa fille.

« Oui, ma chérie, répondit Louisa, également en langage par signes, qu'est-ce qui te ferait plaisir?

— Un chat blanc », répondit la petite. Un énorme sourire apparut sur son visage à cette seule pensée. « Une chatte à poil long. »

La gorge de Louisa se serra. Stephanie n'avait pas encore très bien saisi les conséquences du divorce. De plus, elles venaient de déménager, et l'enfant essayait de s'adapter à un nouveau milieu et à de nouveaux camarades de classe. Une telle situation serait éprouvante pour n'importe quel enfant, et c'en était presque plus que la petite pouvait supporter. Louisa avait le cœur brisé de voir sa fille traverser les épreuves avec tant de grâce et de force.

Mais un chat à poil long? Louisa pensa tout de suite qu'un animal aussi exotique serait coûteux. Au cours des jours qui suivirent, elle se débattait avec son dilemme chaque fois qu'elle croisait le regard de sa fille. Penser à ce chat semblait rendre celle-ci plus heureuse. Louisa n'avait jamais vu son enfant vouloir quelque chose avec tant d'acharnement. Finalement, elle fut si émue de ce désir profond manifesté par sa fille qu'elle résolut de lui trouver un chat.

Elle commença par éplucher les petites annonces. Peut-être quelqu'un voulait-il vendre un chat qui correspondrait au rêve de Stephanie, et ce, à un prix abordable. Elle trouva quatre annonces de chats à vendre et les encercla au crayon rouge, puis composa le premier numéro de téléphone.

« Bonjour, j'appelle au sujet de l'annonce que vous avez fait paraître dans le journal, dit Louisa à l'étranger à l'autre bout du fil.

— Oui, j'ai un chat à vendre, répondit la voix.

— De quelle couleur est-il? demanda Louisa, les doigts croisés.

— C'est un superbe mâle, tout noir. »

Le cœur de Louisa se serra légèrement. C'était exactement l'opposé de ce que Stephanie voulait! « Oh… je suis désolée, dit-elle, je cherche un chat blanc… une femelle… je vous remercie quand même. » Elle raccrocha. Elle avait d'autres numéros à essayer et en composa un deuxième. « Bonjour, j'ai vu votre annonce dans le journal au sujet d'un chat à vendre.

— Oui, fit une voix, c'est un magnifique chat noir à poil court. » Une fois de plus, le cœur de Louisa se serra en pensant au regard brillant de sa fille, à sa façon animée de parler de l'animal tant convoité en langage par signes et à son refus de considérer quoi que ce soit à part une chatte blanche à poil long. « Non, je regrette, ce n'est pas ce que je cherche », répondit Louisa.

Elle continua à faire des appels pendant tout l'après-midi. Elle parla à des gens qui vendaient des chats tigrés roux et des Siamois gris, mais aucune bête à poil long correspondant à la description précise de sa fille. Frustrée, Louisa résolut de demander à celle-ci si elle accepterait un autre type de chat — ou même un cadeau complètement différent. Mais en s'approchant de la chambre de la petite, elle vit que l'enfant s'adressait à Dieu en langage par signes. « Mon Dieu, je vous en prie, aidez ma maman à trouver une chatte blanche à long poil. C'est tout ce que je veux. S'il vous plaît. Je sais que vous avez de nombreux chats de ce genre. S'il vous plaît donnez-en un à maman. » Louisa était clouée sur place. Elle resta à l'entrée de la chambre, à regarder son enfant, les yeux mouillés de larmes. Puis, lentement, elle tourna les talons, retourna dans sa chambre et récita sa propre prière.

Le lendemain, elle poursuivit ses recherches. Elle composa un numéro provenant d'une annonce publiée dans un autre journal de la région. N'obtenant que le répondeur, elle laissa un message et patienta.

Le soir même, elle reçut un appel. « Allô, dit une voix féminine à l'autre bout du fil. Je vous rappelle au sujet de l'annonce que j'ai fait paraître dans le journal.

— Oui, dit Louisa, pourriez-vous me décrire l'animal que vous désirez vendre?

— Bien sûr, c'est une femelle toute blanche, à poil long. » Louisa bondit de sa chaise. « Je la prends! cria-t-elle.

— Parfait, poursuivit la femme. Ce sera cinq cents dollars.

— *Quoi*! s'écria Louisa, cinq cents dollars? »

Tout en essayant de masquer sa déception, elle tenta d'expliquer à son interlocutrice la situation dans laquelle elle se trouvait. « Voyez-vous, commença-t-elle, ma petite fille va avoir dix ans, et c'est le seul cadeau qu'elle a demandé. Je n'ai pas beaucoup de moyens. J'espérais que, d'une façon ou d'une autre, je pourrais lui offrir ce présent. Mais cinq cents dollars, c'est trop. C'est un montant que je n'ai pas les moyens de débourser. »

Malgré cet aveu, la femme tenait à son prix. Louisa la remercia de l'avoir rappelée, et la conversation prit fin.

Louisa se sentait plus désespérée que jamais. « Mon Dieu, implora-t-elle, ma petite fille est si seule dans son univers silencieux, et maintenant que son père nous a quittés et que nous avons emménagé dans un nouveau logis, je voudrais vraiment être capable de lui offrir le cadeau qu'elle désire tant. Je vous en prie, aidez moi à trouver le chat de ses rêves. »

Elle venait à peine de terminer sa prière que la sonnerie du téléphone retentit. La femme au chat blanc expliqua qu'elle avait été émue par l'histoire de Stephanie, et qu'elle revenait sur sa décision. Elle acceptait de baisser le prix à trois cents dollars.

« Je vous remercie infiniment, répondit tristement Louisa, mais même un montant de trois cents dollars excède de beaucoup ce que je peux me permettre. »

La femme dut sentir la tristesse et le découragement dans la voix de Louisa.

« Vous savez… j'ai un autre chat, une femelle complètement blanche à poil long dont j'ai toute les difficultés du monde à me débarrasser, commença-t-elle.

— Ah oui? Que voulez-vous dire? Quelle en est la raison? demanda Louisa, reprenant espoir.

— Eh bien, voyez-vous, dit la femme, ce chat est sourd. »

Louisa était muette de surprise. Après un moment de silence, elle soupira avec reconnaissance, puis répondit, au comble de la joie : « Je la prends, je la prends avec plaisir. »

Commentaire

Le bruit de la magie résonne avec force et clarté, même dans un monde de silence.

Charles Francis Coghlan était né à l'Île-du-Prince-Édouard en 1841. Enfant, il se révéla doué d'un exceptionnel talent d'acteur et apparut pour la première fois sur les planches à Londres, en 1860. Dans les années qui suivirent, sa renommée s'étendit dans le monde entier et il était considéré comme l'un des plus grands acteurs shakespeariens de sa génération. Pendant toute sa vie, il continua à demeurer à l'Île-du-Prince-Édouard.

Il mourut à la suite d'une brève maladie alors qu'il jouait dans une pièce à Galveston, au Texas, le 27 novembre 1889. Son cercueil gainé de plomb fut placé dans un caveau en granit dans un cimetière de Galveston.

Le 8 septembre 1900, une tornade fulgurante s'abattit sur l'île de Galveston. Les eaux inondèrent les cimetières, fracassant les caveaux et déterrant les morts. Les corps de ceux qui avaient trépassé longtemps auparavant se mêlèrent à ceux des morts récents. Les cercueils et les pierres tombales arrachées s'entrechoquèrent, puis les corps dérivèrent en une procession funèbre vers le golfe du Mexique et se dispersèrent au loin, entraînés par les vagues.

Une fois la tornade calmée, un remous poussa le cercueil de Charles Coghlan vers le sud-est. Là, il fut entraîné par un courant passant au large des Antilles jusqu'au Gulf Stream. Puis il contourna la pointe de la Floride et dériva en direction nord, porté par le grand fleuve océanique.

Le Gulf Stream est un courant très rapide, qui parcourt environ cent douze kilomètres par jour, et le cercueil a fort probablement suivi ce courant jusqu'à ce qu'il arrive au large de Terre-Neuve. À partir de là, il a vraisemblablement été écarté du Gulf Stream par une tempête.

Une fois dégagé du Gulf Stream, il a apparemment dérivé sans but au large de la côte est canadienne, poussé au hasard des vents et des vagues. On ne le saura jamais.

En octobre 1908, après une série de tempêtes, plusieurs pêcheurs quittèrent l'Île-du-Prince-Édouard dans le but de lancer leurs filets dans le golfe du Saint-Laurent. Arrivés au large, ils remarquèrent une volumineuse caisse à demi submergée, qui dérivait vers le rivage. Ils la remorquèrent jusqu'à la plage.

La boîte, incrustée de mollusques et couverte de bernaches, avait de toute évidence passé un long moment dans l'eau. Après avoir gratté l'épaisse croûte de coquilles, les pêcheurs constatèrent qu'il s'agissait d'un cercueil contenant le corps d'un homme d'âge mûr. Sur une plaque d'argent, ou pouvait lire qu'il s'appelait Charles Coghlan, un nom bien connu des gens de l'île.

Le village où il était né et avait grandi se trouvait à quelques kilomètres de distance, tout comme la demeure où il venait se reposer entre ses longs voyages. Il fut enterré près de l'église où il avait été baptisé, avec les honneurs de circonstance.

Après avoir traversé la mer immense, Charles Coghlan était enfin rentré chez lui pour de bon.

— Alan Vaughan

*E*n 1984, Gertrude Levine, de Queens, dans l'État de New York, reçut un appel téléphonique de l'administrateur d'un camp de vacances pour adultes d'un certain âge où, croyait-elle, sa mère se reposait, entre bonnes mains.

« Mme Levine, dit l'administrateur d'une voix faible, je suis profondément désolé d'avoir à vous apprendre cette terrible nouvelle, mais votre mère, Sarah Stern, a été victime d'une crise cardiaque et est décédée à l'hôpital. Je regrette — veuillez accepter mes plus sincères condoléances. »

Laissant le combiné lui glisser des mains, Gertrude s'affaissa dans son fauteuil, sidérée et accablée de douleur. C'était incompréhensible… sa mère bien-aimée, morte. D'autant plus qu'elle avait toujours été si robuste et pleine de vie, si ardente et intrépide. Voyant sa mère avancer en âge, elle s'était toujours rassurée en se disant que Sarah Stern donnerait du fil à retordre à la faucheuse!

« Mme Levine, Mme Levine, fit la voix de l'administrateur qui lui parvenait du combiné tombé sur le sol. Êtes-vous toujours là? »

Gertrude ramassa lentement le téléphone, toujours confuse et désorientée. « Ou-Oui, je suis là », répondit-elle machinalement.

« Mme Levine, je m'en veux terriblement de vous faire cette demande aussi brusquement, mais quelqu'un doit venir identifier le corps.

— Je ne m'en sens pas capable; je vais plutôt envoyer une amie proche.

— C'est parfait, Mme Levine. Encore une fois, acceptez mes plus sincères condoléances. Votre mère était une très grande dame. Elle vous aimait tant. Elle parlait de vous sans arrêt, disant à qui voulait l'entendre à quel point sa fille était formidable. »

Gertrude baissa la tête, remplie de tristesse. Elle était atterrée par la mort de sa mère adorée. Durant les funérailles et plus tard, au cours des premières heures de la shiva (la période de deuil de sept jours prescrite par la religion juive), elle ne put contenir ses larmes. Elle dit aux autres membres de la famille qui étaient assis à ses côtés qu'il lui était impossible d'encaisser le choc.

Plusieurs heures après le début de la *shiva*, le téléphone sonna et quelqu'un passa le combiné à Gertrude.

La voix tranchante du téléphoniste se fit entendre : « J'ai un appel en PCV pour Gertrude Levine de la part de Sarah Stern. Acceptez-vous les frais?

— De la part de qui? demanda Gertrude, interloquée.

— Sarah Stern, répéta le téléphoniste.

— Qu'est-ce que c'est que cette plaisanterie macabre? demanda Gertrude. Je viens de *l'enterrer*! »

« Gertrude! » Une voix aimée et bien réelle se fit soudain entendre : « Je n'arrive pas à ajuster ma dose de médicament... »

C'était sa mère, Sarah Stern.

Il y avait *deux* Sarah Stern au camp, et on avait prévenu la mauvaise famille! L'amie qui avait été identifier le corps avait eu mal au cœur à la vue du cadavre et ne l'avait regardé que très furtivement, pour la forme. « Bien sûr que c'est Sarah Stern », avait-elle marmonné à la hâte, pressée d'en finir. De plus, étant donné que les cercueils restent toujours fermés lors des funérailles juives et que cette religion interdit de poser les yeux sur un cadavre, l'erreur n'avait jamais pu être découverte. Par conséquent, une étrangère reposait dans la concession familiale, au cimetière!

« Vous ne pouvez pas imaginer le traumatisme émotionnel que cette aventure m'a causé, soupire Gertrude Levine en racontant cette histoire lugubre. Avoir cru que ma mère était morte... toute la douleur et la souffrance... et le stress occasionné par les funérailles et l'enterrement *en plus* du début de *shiva* qui a suivi. Sans parler de ce qu'il nous en a coûté et de l'humiliation publique. Mais bien sûr, tout cela n'avait aucune importance à côté de la joie de savoir que ma mère était bien vivante. »

Mais les choses n'en restèrent pas là. Lorsque Gertrude téléphona aux enfants de l'autre Sarah Stern pour leur offrir ses condoléances et leur demander de prendre les dispositions nécessaires pour que le corps de *leur* mère soit enlevé de la tombe réservée à la *sienne*, ils refusèrent!

« Elle est déjà là, dirent-ils, laissons-la en paix! Pourquoi devrions-nous nous donner la peine de la sortir de terre, de lui acheter un terrain dans un cimetière et de lui organiser d'autres funérailles? Une seule fois suffit. »

Cette suggestion laissa Gertrude interdite. Comment pouvait-elle accepter qu'une parfaite étrangère occupe la tombe destinée à sa mère, à côté de son regretté père? Elle supplia les enfants de déménager le corps de leur mère, mais ils ne voulaient rien entendre. Elle demanda à des personnes en vue dans la collectivité d'intercéder en sa faveur auprès d'eux, mais ils demeurèrent intraitables. Finalement, en derniers recours, Gertrude demanda à un rabbin de son quartier de communiquer avec la famille et de les menacer d'obtenir une ordonnance du tribunal les forçant à accéder à sa demande. Cette démarche donna des résultats.

« Allez-vous au moins célébrer décemment les funérailles de votre mère? » demanda Gertrude à la famille une fois les arrangements terminés pour l'enlèvement du corps. À sa grande horreur, les enfants lui répondirent que des funérailles sommaires près du tombeau suffiraient.

« Dans ce cas, j'y serai! » dit Gertrude avec passion, prenant désormais à cœur la destinée dramatique de feu Mme Stern et se sentant férocement résolue à protéger son honneur.

À part la famille immédiate, elle était la seule à être venue à l'enterrement.

En contemplant le déroulement de la pitoyable cérémonie dans ce lieu morne et solitaire, Gertrude Levine se sentit envahie par une profonde douleur en pensant à la vie et à la mort de la deuxième Mme Stern. En même temps, elle venait de comprendre quelque chose de fondamental, qui mettait en lumière le plan de Dieu.

« Je me suis toujours demandée comment et pourquoi ce malentendu bizarre était survenu avec ma mère, réfléchit-elle. Lors de ces tristes funérailles qui m'ont brisé le cœur, j'ai soudain compris le sens global des événements. »

« Vous savez, dit-elle aux enfants à la suite des funérailles, votre mère devait vraiment être une personne très spéciale, ou alors elle a sûrement accompli quelque chose de réellement extraordinaire au moins une fois dans sa vie. Parce que *trois cents personnes* sont venues à ses funérailles — pensant qu'il s'agissait de ma mère — et lui ont rendu hommage. Regardez quelles sortes de funérailles vous venez de lui donner, et pensez à celles auxquelles elle a eu droit en raison de cette étrange coïncidence. Dieu voulait qu'elle ait des funérailles décentes, qu'elle n'aurait de toute évidence jamais pu avoir autrement. Il a donc fait en sorte que cette coïncidence survienne. »

Six mois plus tard, la mère de Gertrude — la première Sarah Stern — mourut. Encore une fois, on lui fit de superbes funérailles, mais seulement cent personnes s'y présentèrent.

Pourquoi cette importante diminution de l'assistance?

« Les gens en avaient assez de se rendre à ses funérailles! » soupire Gertrude Levine.

Commentaire

Lorsque la danse de la vie nous déconcerte et que nous ne savons pas dans quelle direction aller, nous pouvons prendre une pause et nous rappeler que la chorégraphie de notre existence a un sens, en plus d'être d'inspiration divine.

$\grave{\mathcal{A}}$ deux reprises, nous avions été roulés par des locataires mal intentionnés qui avaient séjourné dans l'appartement situé au sous-sol de notre domicile. Le premier scélérat nous déroba deux mille dollars, et le deuxième filou disparut au beau milieu de la nuit alors qu'il nous devait plusieurs mois de loyer. Nous l'avons également échappé belle avec un troisième individu, qui vint visiter l'appartement vacant et se montra immédiatement intéressé à le louer. Dieu merci pour une voisine curieuse à l'œil inquisiteur et à la langue bien pendue. Dès que l'homme eut quitté les lieux, elle traversa chez nous à toute vitesse et nous dit : « Vous savez, l'homme qui vient de quitter votre appartement est recherché en Argentine pour meurtre. »

Hélas, mon époux et moi connaissons mal les mœurs contemporaines et faisons preuve de naïveté en ce qui a trait aux gens. Cette innocence, qui a persisté longtemps après notre jeunesse, nous a permis de connaître bien des bonheurs inattendus et de faire de nombreuses rencontres intéressantes, mais elle nous a également causé une surabondance d'épreuves, de tribulations et de douleurs véritables dont nous aurions assurément pu nous passer.

« Regardons les choses en face », dis-je un jour en soupirant à mon mari, alors que nous songions avec désespoir à l'appartement du sous-sol, qui était — surprise! — de nouveau vacant. « Le sous-sol est très petit et inconfortable. Seuls les individus douteux et troubles veulent y habiter. Cessons de chercher à le louer et transformons-le en salle de jeu pour les enfants.

— Il n'en est pas question, répondit mon mari avec intransigeance, en secouant la tête. Nous avons dépensé beaucoup d'argent pour le remettre en état et nous avons besoin du revenu qu'il génère.

— Ça n'en vaut pas la peine! m'entêtai-je. L'appartement n'attire pas les gens aimables, tranquilles et convenables. Je tremble en pensant que nous avons failli accueillir un *meurtrier* sous notre toit!

— Nous avons besoin de cette source de revenus! répliqua mon époux, intraitable.

— Peux-tu me promettre que tu seras très prudent lorsque tu choisiras le prochain locataire? Que tu vas demander des références et tous les renseignements pertinents?

— Je te le promets. J'ai même une autre idée. Juste pour être certain de ne prendre aucun risque, je vais louer l'appartement à une femme plutôt qu'à un homme. D'accord?

— Si cela ne fonctionne pas cette fois-ci, je veux que tu me promettes d'abandonner pour de bon l'idée de le louer, le prévins-je.

— C'est entendu », promit-il joyeusement.

Lorsqu'une élégante institutrice dans la force de l'âge se présenta quelques jours plus tard et manifesta un intérêt pour l'appartement, mon mari, emballé, lui fit signer un bail sur-le-champ et téléphona au journal local où il avait fait paraître l'annonce afin d'en faire cesser la parution.

« Tu vas l'adorer! », m'assura-t-il, lorsque je lui fis part de mes doutes à propos de l'entente.

« Je ne comprends pas, dis-je avec méfiance, pourquoi une institutrice bien rémunérée choisirait de vivre dans *notre* appartement. Cela n'a pas de sens. Lui as-tu demandé des références?

— Elle a l'air si respectable, je ne voulais pas l'insulter en lui faisant une telle demande.

— *Quoi*? criai-je, ce n'est pas possible. Tu m'avais promis.

— Je connais les gens, répondit-il avec assurance. C'est une femme bien. Tu vas voir. »

Une semaine plus tard, un fourgon de déménagement apparut devant la maison, et des déménageurs commencèrent à transporter des meubles dans l'appartement du sous-sol. Je cherchai la femme distinguée que mon mari m'avait décrite, mais la personne qui dirigeait les opérations d'un air autoritaire était un jeune homme vêtu convenablement d'un complet soigné. Je l'abordai et lui demandai s'il était parent avec la nouvelle locataire.

« C'est ma mère, dit-il en arborant un sourire charmant. Elle est partie à l'étranger pour quelques semaines, mais elle m'a dit que je pouvais utiliser son appartement en son absence. »

Le jeune homme avait l'air plutôt respectable, même si sa longue queue de cheval et sa boucle d'oreille me déconcertaient quelque peu. Toutefois, moi qui avais toujours servi à mes enfants d'interminables sermons sur l'importance de ne pas se fier aux apparences, j'aurais été mal à l'aise d'agir à l'encontre de mes propres valeurs.

« Je n'y vois pas d'inconvénient, répondis-je. Quand sera-t-elle de retour?

— Bientôt », répondit-il vaguement.

La femme ne revint jamais.

À la suite de ce premier jour, le nouveau locataire ne porta plus jamais de complet. Au lieu de cela, il était fréquemment vêtu d'un jean déchiré et d'un T-shirt moulant. Quelques semaines plus tard, le T-shirt fut remplacé par un maillot, puis, peu après, l'homme commença à se promener torse nu, exhibant plusieurs tatouages d'apparence sinistre.

Bientôt, des individus à l'air bizarre se mirent à entrer et à sortir de notre appartement du sous-sol, et une musique tapageuse y jouait jusque tard dans la nuit. Mon mari réussit à retrouver la mystérieuse femme, qui avoua avoir eu recours à la ruse pour pouvoir procurer l'appartement à son fils à problèmes, Michael.

« Je suis désolée, dit-elle sur un ton qui révélait tout le contraire, mais comme personne n'acceptait de lui louer un appartement, j'ai dû l'aider. C'est un bon garçon, ne vous en faites pas. Il ne vous causera pas de tort. »

« Est-il possible d'expulser Michael? me lamentais-je à mon mari jour après jour.

— Même si nous intentons un recours juridique, les procédures vont prendre des mois. De toute façon, me gronda gentiment mon bon Samaritain de mari, au lieu de nous concentrer sur les problèmes de Michael, peut-être devrions-nous voir la situation sous un angle différent. Peut-être n'est-ce pas par hasard s'il a abouti ici, étant donné que nous avons travaillé auprès de personnes comme lui par le passé. Considère tout ça comme une épreuve envoyée par Dieu. » Puis il suggéra : « Invitons-le au dîner du sabbat, vendredi soir. »

Vendredi soir, Michael étincelait comme les chandeliers en argent qui trônaient sur ma resplendissante table de sabbat. Bien mis et d'allure soignée, il portait le complet du premier jour, de même qu'une yarmulke, par respect pour notre tradition orthodoxe (il était juif mais non pratiquant). Il m'aida à servir le dîner, échangea des propos charmants et pleins d'esprit avec mes fils, fit quelques plaisanteries, entonna quelques airs juifs d'une ravissante voix de baryton et raconta même quelques contes hassidiques qu'il avait entendus dans son enfance.

« Peux-tu voir la beauté de l'âme de ce garçon ? insista mon mari après son départ. Nous avons l'occasion de faire une bonne action. »

Quelques semaines plus tard, nous découvrîmes que Michael était toxicomane.

« Qu'allons-nous faire ? demandai-je à mon mari en soupirant.

— Eh bien, le défi est plus grand maintenant, mais je persiste à croire que nous pouvons l'aider. Maintenant je suis persuadé que ce n'est pas une coïncidence qu'il soit venu vivre ici. Dieu l'a envoyé vers nous, et nous devons lui venir en aide. »

Je me sentais vraiment partagée. D'une part, j'étais d'accord avec mon mari, mais d'autre part, je ne croyais pas que nous possédions les ressources nécessaires pour nous attaquer à un problème de drogue. Par dessus tout, je me faisais du souci pour la sécurité de mes enfants et des autres enfants vivant sur notre rue. Mon mari avait parlé à Michael de sa dépendance et celui-ci avait juré de faire en sorte que les enfants ne s'en aperçoivent pas. Il promit également à mon mari qu'il entreprendrait un programme de traitement de la toxicomanie et affirma avoir déjà fait une demande à cet effet auprès d'un centre californien. Il lui dit également que grâce à notre influence, il fréquentait de nouveau la synagogue et qu'il pensait redevenir pratiquant. Il avait même fait venir de l'information sur des écoles spécialisées dans le retour au judaïsme.

Mon mari était satisfait. Il n'avait jamais pensé à faire évincer Michael, comme je l'espérais à moitié. Je ne pouvais être certaine que Michael était sincère à propos de ses intentions ou s'il avait dit à mon mari les mots que celui-ci voulait entendre. Mais ses promesses ont certainement contribué à garder les forces de l'ordre à distance.

Une nuit, je me suis rendue en voiture à Brooklyn Hights, un quartier situé à environ trente minutes de notre domicile, pour assister à une séance de cours de formation pour les adultes. Le cours se termina à onze heures, et je demandai au professeur le chemin pour retourner à l'autoroute. J'étais un tout petit peu nerveuse à la perspective de conduire seule la nuit jusque chez moi, mais une fois revenue sur l'autoroute, je poussai un soupir de soulagement. Tout irait bien à partir de là, croyais-je.

Mais mon soulagement était prématuré. En effet, je réalisai soudain avec désespoir que je roulais dans la mauvaise direction : je me dirigeais vers *Queens* au lieu de Brooklyn! Je n'avais d'autre choix que de quitter l'autoroute sans délai. À la première occasion, j'empruntai la bretelle de sortie et me mis à chercher une entrée pour aller en direction de Brooklyn.

J'étais étourdie et désorientée. Cette mésaventure m'aurait été pénible même en plein jour, mais les ombres difformes de la nuit alimentaient mes peurs. Celles-ci augmentèrent en intensité lorsque je me rendis compte que je roulais dans les rues de l'un des quartiers les plus dangereux de Brooklyn.

« Tout ira bien, rien ne m'arrivera », me rassurai-je, répétant ces mots comme un mantra. « Trouve une station-service et le garagiste pourra t'indiquer le chemin à prendre. »

Une station-service apparut au sortir d'un tournant. Tremblante de soulagement, je m'y arrêtai et me mis à klaxonner. Pensant que le préposé sortirait aussitôt, je descendis ma fenêtre pour lui parler. Au lieu de cela, cinq silhouettes menaçantes émergèrent de l'ombre et entourèrent ma voiture. Aucune trace du préposé.

« Vous avez besoin d'aide, Madame? » grogna l'un des hommes, pendant que je m'enjoignais de ne pas me fier aux apparences.

« Bonsoir, comment allez-vous? » lançai-je gaiement, me disant qu'une approche détendue du style Je-n'ai-pas-peur-de-vous,-vous-êtes-les-enfants-de-Dieu-tout-comme-moi serait la meilleure dans les circonstances. « Pourriez-vous me dire comment me rendre sur l'autoroute BQE en direction ouest?

— Bien sûr, chérie, avec plaisir », dit l'homme. Pendant une fraction de seconde, ma frayeur s'apaisa. « Mais ce ne sera pas gratuit… », ajouta-t-il dans un grognement.

Les individus à la mine patibulaire s'approchèrent de la voiture.

Soudain, une autre silhouette se détacha d'un groupe d'hommes rassemblés dans un coin de la station-service et courut vers la voiture. « Je reconnais cette voix, c'est Mme Mandelbaum! Mme Mandelbaum, Mme Mandelbaum, comment ça va! » demanda la voix sur un ton joyeux et surpris.

C'était Michael.

Il s'approcha des hommes qui encerclaient la voiture et s'adressa à eux d'un air menaçant : « Vous avez fini d'embêter cette gentille dame? Elle est ma propriétaire. Laissez-la tranquille! Décampez! »

Les hommes s'éloignèrent de la voiture à contrecœur, en laissant une dernière fois s'attarder leur regard sur la carrosserie, de même que sur ma personne.

« Mme Mandelbaum, qu'est-ce que vous faites ici? demanda joyeusement mon sauveur.

— Michael, qu'est-ce que vous faites ici? répliquai-je.

— Oh, je viens ici pour affaires, répondit-il vaguement.

— Vous voulez que je vous ramène à la maison?

— Non, merci, je n'ai pas tout à fait fini encore.

— Michael, vous m'avez probablement sauvé la vie. Je ne sais pas comment vous remercier.

— Eh bien, vous avez bravement essayé de sauver la mienne, alors maintenant nous sommes quittes », dit-il d'un ton léger.

Quelques semaines après cet incident, Michael quitta l'appartement pour se rendre à un centre de désintoxication en Californie. Je ne l'ai pas revu depuis, mais je prie pour que Dieu continue de veiller sur l'homme qui m'a protégée la nuit où j'ai pris un mauvais tournant sur l'autoroute.

— *Yitta Halberstam Mandelbaum*

*D*ans la ville de New York, la police conseille de ne pas sortir son portefeuille lorsque l'on se fait aborder par un clochard — mais on finit par acquérir un sixième sens pour ce genre de choses. Ainsi, je n'ai ressenti aucune inquiétude lorsqu'une jeune femme de race noire, timide, maigre et de toute évidence sans logis, les cheveux emmêlés recouverts d'une écharpe, s'approcha de moi il y a quelques années alors que j'attendais le métro dans la station Times Square, presque déserte à cette heure.

Pouvais-je lui donner un peu d'argent pour qu'elle s'achète un repas?

Je sortis quelques dollars de mon portefeuille. Puis je remarquai ses pieds. Elle portait des baskets usés jusqu'à la corde, sans chaussettes. Je lui demandai pourquoi. Elle n'avait pas les moyens de s'acheter des chaussettes, expliqua-t-elle en se retournant pour quémander de l'argent à un autre usager.

Je n'avais pas d'autre argent à lui donner. Mais l'image de ses pieds sans chaussettes me poursuivit jusqu'à la maison. Je fouillai dans le tiroir de ma commode et en sortis quelques paires de chaussettes épaisses, presque neuves, et mis le tout dans un sac de plastique.

Les jours qui suivirent, j'attendis la femme au même endroit, à la même heure, mais elle ne revint jamais. Déterminé à ne pas laisser tomber, mais incapable de rester plus longtemps sur le quai, je montai à l'étage supérieur et m'adressai à la préposée au guichet de jetons. Même si nous ne nous étions jamais adressé la parole, nous avions pris l'habitude d'échanger un sourire. En effet, je faisais le trajet aller-retour vers Manhattan tous les jours avant l'heure de pointe, et mon visage lui était familier.

Après lui avoir demandé d'ouvrir la porte latérale du guichet, je lui remis le sac en la priant de le donner à une mince femme de race noire sans logis qui ne portait pas de chaussettes, que j'avais rencontrée dans la station au milieu de l'après-midi.

Mon horaire de travail m'empêcha de revenir à cette station de métro pendant les quelques semaines qui suivirent. Lorsque je pus enfin me rendre au guichet, la préposée me fit signe d'approcher de manière pressante.

Non, la jeune sans-logis n'était jamais venue. Mais, poursuivit-elle, le lendemain du jour où j'avais laissé le sac, deux clochards frappèrent à la porte du guichet et annoncèrent que leurs chaussettes étaient trempées et qu'ils avaient froid aux pieds; ils lui demandèrent si elle n'avait pas de chaussettes sèches.

Elle leur remit mon sac.

Elle n'avait jamais vu ces hommes auparavant, continua-t-elle. Elle travaillait à cette station depuis plusieurs années, et personne ne lui avait jamais demandé de chaussettes auparavant.

« Les voies de Dieu, dit-elle, sont vraiment impénétrables.»

— *Steve Lipman*

Commentaire

Nos bonnes intentions ont assez de force pour faire tourner la roue des miracles.

*L*e père de John Donovan* était un homme acariâtre et d'humeur maussade, dont le tempérament querelleur avait éloigné bien des amis, parents et voisins au fil des ans, les faisant littéralement fuir. L'âge et la maladie chronique avaient contribué à aggraver ses manières grossières, et il était devenu continuellement hargneux et désagréable. Par conséquent, John Donovan était pratiquement incapable de trouver un aide familial résident pour son père — ce qui était devenu une nécessité absolue car sa mère était morte deux années auparavant.

La ville où il habitait regorgeait d'entreprises de soins à domicile offrant leurs services à des personnes comme son père, et il était facile de trouver des aides efficaces et fiables. Mais personne n'était capable de rester plus d'une semaine.

C'était devenu une routine. La nouvelle personne arrivait, les yeux brillants et le geste résolu, et John l'avertissait prudemment : « Mon père n'est pas une personne facile. » L'aide familial haussait les épaules en riant et disait quelques paroles rassurantes comme : « Aucune personne âgée et malade n'est facile à vivre. » Mais une semaine plus tard, le sourire avait disparu et fait place à une moue de douleur et les yeux, jadis brillants, étaient fatigués et injectés de sang. « Je suis désolé, disaient-ils précipitamment, pressés de partir, mais votre père est tout simplement impossible. »

John Donovan ne pouvait les blâmer. Il tenait lui aussi à être le moins longtemps possible en présence de son père. Quoi qu'il fasse pour lui, le vieil homme ne cessait de grommeler et de se plaindre.

« Il y a sûrement quelqu'un en ce bas monde qui pourrait avoir un effet magique sur papa! » dit un jour John, exaspéré. « Quelqu'un comme maman », ajouta-t-il tristement.

En effet, sa mère, femme charmante à la voix douce, avait toujours su calmer ce père agressif. Pendant des années, les gens s'étaient émerveillés en constatant combien il s'était transformé à son contact. « C'est comme si c'était un autre homme », remarquaient-ils fréquemment.

Si tous les gens ont un double physique, pourquoi n'en irait-il pas de même sur le plan émotionnel? Pourquoi ne pouvait-il trouver un aide familial doté d'un tempérament serein et d'une nature agréable, une personne qui serait complètement à l'image de sa mère?

« Oh, maman, pleura-t-il sur sa tombe un jour. Pour que je te demande ton aide, il faut vraiment que je sois au comble du désespoir. Mais je ne sais plus quoi faire. S'il te plaît, envoie-moi de l'aide pour papa, quelqu'un tout à fait comme toi! »

« Je ne peux pas croire que je viens de faire ça! » pensait John en s'éloignant de la tombe, se frottant le front en signe d'incrédulité. « Prier sur la tombe d'un parent pour avoir la santé ou obtenir du succès est une chose. Mais prier pour qu'on m'envoie un aide familial, c'est complètement ridicule! »

Néanmoins, lorsque le téléphone sonna deux jours plus tard, John ne put s'empêcher de se demander s'il n'y avait pas un lien avec sa demande.

« M. Donovan, gazouilla une voix aimable. Ici Mme O'Reilley. Je crois que nous avons enfin trouvé la perle rare. Il y a ici un jeune homme qui cherche une position d'aide familial et qui fait entièrement l'affaire. Je crois que vous serez très satisfait. »

Il s'appelait Charlie Edwards et voulait un jour devenir infirmier. En attendant, il économisait pour payer ses études en travaillant comme aide familial. Il s'était présenté ce matin-là à l'agence pour la première fois.

Malgré son tempérament accommodant et calme, Charlie possédait un humour dévastateur, un sourire malicieux et un rire contagieux et sonore qui gagnait tout le monde, y compris (et malgré lui) le père de John Donovan. Il était pratiquement impossible de ne pas tomber sous le charme de la personnalité chaleureuse et pleine de charme de Charlie. En fait, il était exactement comme la mère de John, et celui-ci était convaincu que c'est elle qui avait permis cette rencontre, comme il le lui avait demandé.

Ainsi, pour la deuxième fois cette semaine-là, John Donovan se rendit à la tombe de sa mère — cette fois dans le but de lui exprimer sa reconnaissance pour l'efficacité avec laquelle

elle avait répondu à sa prière. Après s'être recueilli sur sa tombe pendant plusieurs minutes, il lui murmura des remerciements pour son intercession rapide, puis se mit à s'adresser à elle tout haut, comme il en avait l'habitude, sur le ton railleur et jovial qu'il adoptait avec elle depuis son adolescence : « Eh bien maman, j'espère que tu es en bonne compagnie ici... Tu as de bons voisins au moins? »

Il ne savait pas d'où lui était venue l'idée de poser cette question, car il n'avait jamais prêté la moindre attention aux sépultures avoisinantes. Mais cette fois, son regard se posa involontairement sur la tombe située juste à côté de celle de sa mère. Il écarquilla les yeux. « Voilà qui est intéressant, murmura-t-il. Je me demande s'il s'agit de quelqu'un de sa famille... Mais non voyons, cela ne veut rien dire, dit-il en chassant cette idée de ses pensées. C'est un nom très, très courant. »

« Hé, Charlie, dit John au cours d'une conversation avec son employé, quelques jours plus tard, je sais que cette question pourra te sembler bizarre, mais y a-t-il quelqu'un de ta famille qui se nomme Wayne Edwards?

— Oui, mais Edwards est un nom si courant que je suis certain que nous ne parlons pas de la même personne.

— Pourquoi dis-tu ça? demanda John.

— Parce que le Wayne Edwards que je connais est mort et enterré depuis longtemps.

— Et reposerait-il par hasard au cimetière All-Saints? s'enquit John.

— Comment savez-vous cela? fit Charlie, les sourcils froncés, ne sachant que penser.

— Wayne Edwards est enterré juste à côté de ma mère, Charlie, s'exclama John, avec une émotion croissante. Mais qui était Wayne Edwards? »

Charlie se retourna vers John, le teint blême mais le regard émerveillé.

« John, répondit-il lentement, Wayne Edwards était mon *grand-père*. »

« De toute évidence, continua-t-il d'un ton rêveur, cette rencontre s'est faite sous les auspices de Dieu! »

*L*orsque Heather McCarty* se fiança, en 1971, elle fut charmée à la vue de la superbe bague de diamants que lui offrit son futur mari. Comblée, elle ne s'attendit par la suite à recevoir aucun autre présent extravagant ou bijou de prix. Après tout, celui qui allait devenir son mari était un jeune homme au début de la vingtaine avec très peu de moyens, et la bague avait déjà coûté très cher. Elle fut donc à la fois surprise et heureuse lorsqu'il sonna à sa porte un soir en tenant fièrement à la main un écrin contenant un autre présent.

« Oh, tu n'aurais pas dû! » roucoula-t-elle avec délice en déchirant l'emballage et en ouvrant la boîte. Un bijou de famille était niché à l'intérieur. C'était une broche ancienne, un gros camée en or serti d'émeraudes et de pierres de cobalt, auquel était accroché un deuxième camée, plus petit, en tout point conforme au premier.

En apercevant la broche, Heather sentit son cœur se serrer et son bonheur se transformer en chagrin, mais elle essaya bravement de dissimuler ses sentiments. Elle ne voulait pas heurter son fiancé, mais ce bijou ne lui allait pas du tout. Premièrement, comme elle était une femme menue à l'ossature frêle qui ne mesurait que un mètre cinquante, cette broche trop imposante aurait pour effet de l'écraser. Deuxièmement, ses goûts la portaient davantage vers les choses plus modestes et discrètes, et le bijou était criard et voyant. Pourquoi accepterait-elle un cadeau qu'elle ne porterait jamais?

« Tu sais, lui dit fièrement son fiancé, le bijoutier qui me l'a vendu m'a affirmé qu'il s'agissait d'une pièce unique. Il l'a achetée lors d'une vente de succession, et elle avait été faite sur mesure pour la propriétaire originale. Il n'existe aucune autre broche comme celle-là dans le monde entier! »

Doucement, Heather dit à son fiancé que, même si elle était touchée par son intention et par le sentiment qui avait présidé à cet achat, la broche ne lui convenait pas. « Que dirais-tu si nous retournions ensemble chez le bijoutier et que nous l'échangions pour quelque chose d'autre? » demanda-t-elle.

Bien que déçu, il accepta. Le bijoutier, par contre, fut plus difficile à convaincre. « Vous n'aimez pas cette broche? demanda-t-il avec étonnement. C'est une superbe pièce — unique en son genre! Qu'est-ce qui ne vous plaît pas exactement? »

Heather expliqua que le bijou était tout simplement « trop » pour sa petite ossature et ses goûts simples, mais le bijoutier ne voulait rien entendre. Tenace, il persistait à essayer de lui faire garder la pièce. C'était un homme ferme et énergique, et il fit de son mieux pour imposer sa volonté à Heather. Mais comme celle-ci ne se laissait pas faire, la conversation aboutit à une impasse.

Le bijoutier finit par s'exclamer, d'un ton exalté : « Pourquoi n'y ai-je pas pensé plus tôt? J'ai la solution parfaite! Je vais enlever le deuxième camée, la broche "fille" miniature, qui pendille de la broche "mère". De cette façon, le bijou sera plus discret et moins voyant. Qu'en pensez-vous?

— Euh…, dit Heather, dubitative.

— Regardez, dit le bijoutier sans attendre, laissez-moi faire cela tout de suite pour vous, et si vous n'aimez pas le bijou une fois séparé de l'autre, je ne dirai pas un mot de plus. » Puis il sortit un outil de sa poche et effectua l'opération d'une main experte.

Seule, la broche « mère » était certainement moins flamboyante, davantage conforme aux goûts de Heather. Elle demeurait bien sûr un peu voyante mais était assurément plus discrète sans sa réplique.

« D'accord, dit Heather au bijoutier. Je peux m'en accommoder maintenant. Je vais le garder… Mais qu'allez-vous faire du camée miniature? demanda-t-elle après coup en se préparant à partir.

— Oh, c'est facile, répondit-il. Il se suffit à lui-même. Je pourrai sûrement le vendre séparément. Ne vous en faites pas, il va disparaître en un instant. »

Au fil des ans, Heather garda la broche dans une chambre forte, ne l'en sortant que pour des occasions spéciales. Elle n'avait jamais vraiment fait la paix avec son allure flamboyante et ne la portait que pour des dîners officiels où la tenue de soirée était de rigueur. Mais chaque fois qu'elle la portait, elle ne pouvait s'empêcher de penser au deuxième camée qui en avait été séparé. « Elle a vraiment l'air d'une broche à laquelle il manque quelque chose », disait-elle souvent, pensive. Elle se demandait alors qui était devenu propriétaire de la plus petite pièce.

Vingt et une années plus tard, la fille de Heather, Micky, se fiança. Son futur mari, jeune homme au début de la vingtaine avec très peu de moyens, lui offrit une bague de diamants, et Micky ne s'attendait à rien de plus.

Mais un soir, son fiancé sonna à sa porte en tenant fièrement à la main un petit écrin.

À l'intérieur se nichait la broche « fille », réplique miniature de l'autre. Deux décennies plus tard, elle était revenue vers sa source, créant une véritable réunion entre « mère et fille ».

« Il y a des millions de new-yorkais, et des millions de bijoux dans le monde, dit Heather pensivement. Mon futur beau-fils ne m'avait jamais vue porter le gros camée, et ne savait même pas qu'il était en ma possession. Comment une telle chose a-t-elle pu se produire? Je ne suis toujours pas certaine de ce que tout cela veut dire, mais pour ma fille, la signification des événements était claire. Lorsqu'elle a vu la broche nichée dans son écrin, toutes les inquiétudes qu'elle pouvait avoir au sujet de ses fiançailles s'évanouirent. Pour elle, la réapparition du bijou dans nos vies était un signe. Elle augurait de bonnes choses et constituait un signe du destin. Bref, pour elle, l'affaire était conclue. »

Commentaire

Étant donné que toute chose dans l'univers contient une parcelle de divinité, toute chose joue un rôle dans le plan divin.

$\mathcal{U}$n jour que Michael Yaeger* conduisait son vieux père Morris à son chalet d'été, en montagne, le vieil homme se mit à parler des choses mystérieuses qui lui étaient arrivées au cours de sa vie. Un incident en particulier s'imposait à sa mémoire, et il décida d'en raconter les faits à Michael.

« En 1929, commença-t-il, j'ai assisté aux funérailles de mon grand-père, Yeshaya Sholom Gross, reconnu dans toute la Hongrie comme un homme très pieux. Des milliers de personnes assistèrent à ces funérailles, qui furent célébrées au cimetière juif de Budapest. Juste comme la cérémonie allait commencer, un gros oiseau blanc d'allure singulière descendit du ciel, se posa sur le cercueil et s'y installa, presque comme s'il venait se joindre à la célébration. Les personnes présentes furent clouées sur place à la vue du volatile, non seulement parce qu'il avait une allure inhabituelle, mais aussi parce qu'il semblait ne plus vouloir bouger de l'endroit où il avait atterri.

« Perché sur le cercueil, l'oiseau ne bougea pas une seule fois de son poste, mais demeurait là tranquillement, impassible.

« En dépit de leur peine, les participants ne pouvaient s'empêcher de regarder l'oiseau pendant que les orateurs se succédaient, faisant l'éloge du vieux sage. Ils pointaient du doigt et chuchotaient. *Était-il toujours là? Oui. Encore? Oui. Depuis combien de temps était-il perché là? Des heures.*

« *Était-il possible de concevoir que l'oiseau soit venu rendre hommage au saint homme? Qui sait? Pouvait-il s'agir d'un gilgul — une réincarnation? Peut-être. Le sage était-il un jour venu en aide à un oiseau? Tout était possible.*

« Vers la fin de la cérémonie, les chuchotements s'intensifièrent. Au moment précis où les funérailles s'achevèrent officiellement et que le cercueil fut sur le point d'être porté en terre, l'oiseau jeta un coup d'œil rapide autour du cimetière, puis battit des ailes et s'envola pour se poser sur une tombe avoisinante. Il demeura à cet endroit jusqu'à ce que mon grand-père soit enterré, puis finit par s'élever vers les cieux et disparaître, mais seulement après que la foule eut quitté le cimetière.

« Il est demeuré immobile pendant toutes les funérailles — qui ont duré trois heures. »

« Alors, que penses-tu de tout ça? », demanda Morris Yaeger à son fils après avoir fini de raconter son histoire.

Michael Yaeger, un être cérébral à l'esprit rationnel qui ne s'intéressait pas aux choses mystiques, répondit par un rire.

« Quelle histoire ridicule! se moqua-t-il. Ça ne peut pas être vrai. Tu as tout inventé, ou tu exagères. L'oiseau est probablement resté sur le cercueil pendant un court moment seulement. La douleur a dû modifier ta perception du temps. Non, je ne crois absolument pas à cette histoire », dit-il, catégorique.

Au même moment, un gros oiseau blanc d'allure singulière descendit du ciel et se posa sur le capot de la voiture. Incrédule, Michael regarda l'oiseau, espérant qu'il s'envole et disparaisse aussi soudainement et abruptement qu'il était venu.

L'oiseau ne bougea pas.

Pendant tout le reste du trajet de deux heures et demie, de la ville de New York au nord de l'État du même nom, l'oiseau demeura immobile et impassible sur le capot de la voiture. Même lorsque Michael accélérait, et malgré les virages et les bosses qui jonchaient la route, l'oiseau resta tenacement juché sur son perchoir jusqu'à la fin du voyage.

Lorsque les Yaeger furent arrivés à destination, à la campagne, l'oiseau jeta un coup d'œil rapide dans leur direction et s'éleva vers le ciel.

Commentaire

Les messagers n'empruntent pas toujours une forme humaine. La validation peut venir sous plusieurs formes, mais nous ne pouvons pleinement recevoir ses bienfaits que si nous sommes ouverts aux mystères de l'univers.

$\mathcal{S}$heroll Carby occupait un poste de travailleuse sociale au centre Saint William à Louisville, au Kentucky. Dans le cadre de ses fonctions, elle faisait régulièrement des visites à domicile pour prendre des nouvelles de ses clients et répondre à leurs besoins éventuels.

À l'occasion de l'une de ces visites hebdomadaires, il n'y a pas si longtemps, Sheroll se rendit chez l'un de ses clients favoris, Joseph Wilson, un bel homme d'un certain âge au visage délicat encadré par une épaisse chevelure blanche. Assise dans la salle de séjour, elle répondait aux questions de M. Wilson en matière de santé et discutait avec lui de ses mauvaises habitudes alimentaires. Soudain, elle aperçut avec surprise, à côté de son hôte, un petit pistolet à la crosse nacrée posé sur le canapé.

Essayant d'avoir l'air nonchalant, elle interrompit la conversation : « Euh… M. Wilson, bégaya-t-elle, quel est cet objet posé près de votre hanche? Est-ce bien ce que je crois? Ce n'est sûrement pas un vrai. » Sheroll était surprise — c'est le moins que l'on puisse dire — que le doux M. Wilson possède une arme telle que celle-là. Ou n'importe quelle arme.

« Oui, c'est bien un vrai, dit M. Wilson d'un ton prosaïque. Je la garde pour me protéger. »

Sheroll était alarmée. Essayant de comprendre le raisonnement de son client, elle lui demanda : « Est-ce bien nécessaire de le garder à la vue de tous comme vous le faites?

— J'espère que cela ne vous dérange pas. Je ne me souviens pas pourquoi je l'ai laissé ainsi, à découvert. D'habitude, je le cache. Je dors même avec, je le place sous mon oreiller. »

Sheroll ne savait que répondre. Elle imagina le pistolet tirer un coup de feu accidentellement pendant le sommeil du vieil homme. Après un bref silence, elle demanda : « Est-il chargé?

— À vrai dire, ma chérie, fit-il d'un ton légèrement sarcastique, il ne servirait pas à grand-chose s'il n'était pas chargé. »

Les travailleurs sociaux, se dit Sheroll, se retrouvent souvent dans des situations étranges. Perturbée à la vue du pistolet de

M. Wilson, elle réussit à trouver le courage de poser une question dont la réponse, elle en était sûre, serait un non! catégorique.

« Puis-je avoir les balles? » fut sa demande.

À sa grande surprise, il répondit : « Je n'y vois pas d'inconvénient. » Il lui remit également le pistolet. Sheroll essaya d'ouvrir l'arme, sans trop savoir ce qu'elle faisait. Naïvement, elle se servit d'un tournevis pour ouvrir le barillet et en extraire les projectiles.

Une fois cette opération accomplie, Sheroll se sentit un peu mieux. Elle prit alors congé de M. Wilson et mit fin à cette visite inhabituelle pour retourner chez elle. Elle fut soulagée de constater que son mari, rentré plus tôt du bureau, était à la maison. Elle lui raconta sa singulière visite chez M. Wilson et comment elle avait enlevé les balles du pistolet. Son mari ne semblait pas le moins du monde préoccupé. « Il va probablement recharger l'arme de toute façon », dit-il. Sheroll se sentit agacée devant l'attitude nonchalante de son mari.

« Je n'ai aucun droit de lui confisquer son arme, n'est-ce pas? » demanda-t-elle. La conversation prit fin sur cette remarque, mais Sheroll ne pouvait cesser de penser à toute cette histoire. L'image de M. Wilson et de son arme lui revenait continuellement à l'esprit, et elle en rêva toute la nuit. Le lendemain, en se rendant chez d'autres clients, elle était encore obsédée par M. Wilson et son pistolet. Sa prochaine visite chez lui était prévue pour la fin de la semaine. Toutefois, elle se sentit obligée d'y retourner et d'aborder de nouveau le sujet avec son client. Elle effectua un virage et se présenta à l'improviste chez M. Wilson, qui l'accueillit non sans surprise.

Elle alla directement au but. « M. Wilson, demanda-t-elle, avez-vous rechargé votre pistolet après mon départ, hier soir?

— Mais bien sûr que oui, répondit-il sans hésitation.

— Cela m'ennuie vraiment, dit Sheroll. Avez-vous déjà pensé à ce qui pourrait arriver si quelqu'un vous volait cette arme? Elle pourrait devenir l'instrument d'un crime.

— Eh bien, je n'ai jamais vraiment considéré les choses sous cet angle, admit-il en se grattant le menton.

Immédiatement, Sheroll posa une question plutôt naïve :
« Puis-je avoir votre arme pour la mettre en lieu sûr? »

Encore une fois, elle fut entièrement surprise de l'entendre répondre : « Bien sûr, vous pouvez prendre le pistolet. »

Elle se sentait mal à l'aise de prendre ainsi possession de l'arme, mais également soulagée que son client y renonce si facilement. Aussitôt après avoir quitté M. Wilson, Sheroll apporta le pistolet au poste de police le plus proche et le fit placer dans la salle de conservation des biens saisis.

Le jour suivant, tard dans l'après-midi, juste avant la fermeture, le téléphone sonna dans le bureau de Sheroll. C'était M. Wilson.

« Vous ne croirez pas ce qui est arrivé! » s'exclama-t-il. Sheroll sentit l'agitation dans sa voix et l'écouta en retenant son souffle. « Juste après votre départ, un homme s'est présenté chez moi. Tous les gens du quartier savent que c'est un toxicomane qui s'injecte de la drogue. Il a fracassé ma porte d'entrée et s'est mis à me donner des coups de poing. Je suis tombé à genoux. Puis il a pillé ma maison en fourrant divers objets dans son sac. Aucun article de valeur, cependant. Soudain il est devenu très agité en fouillant sous mon oreiller et sous mon matelas. Je ne sais pas ce qu'il s'attendait à y trouver, mais je parie que c'était mon pistolet. »

Sheroll écoutait chaque mot attentivement. « Vous êtes sûrement mon ange gardien », poursuivit M. Wilson, dont la voix retrouvait son calme à mesure qu'il parlait. « Je ne sais plus depuis combien de temps j'ai ce pistolet, mais je remercie Dieu que vous me l'ayez pris. Qui sait quel usage il en aurait fait s'il l'avait trouvé. Il m'aurait probablement tiré dessus. »

Commentaire

Lorsque nous nous inquiétons pour les autres et cherchons à les aider, la violence se dissout pour faire place à l'amour, à la paix et à l'harmonie.

*T*rouver une pièce de un cent est censé porter chance. Sharon Kovalsky trouva considérablement plus que un cent. Deux semaines après sa découverte, elle récolta une très précieuse récompense.

La bonne fortune de Sharon commença à la caisse rapide du supermarché Super Duper de Rochester, dans l'État de New York, où elle faisait la queue avec ses quelques achats. Soudain, elle sentit une boule sous son pied droit et regarda par terre. C'était un billet de dix dollars tout froissé. Immédiatement, elle se pencha pour le ramasser.

Sa première idée fut de le remettre au caissier. Après réflexion, elle ramena rapidement à elle sa main refermée sur le précieux billet. « Il va probablement l'empocher lui-même », pensa-t-elle. Puis une autre idée, plus pragmatique, lui vint à l'esprit. « Je crois que je vais plutôt le garder en lieu sûr pendant quelque temps. Je n'en ai pas besoin en ce moment. Qui sait, peut-être pourrai-je en faire bon usage plus tard », se dit-elle. Elle plaça donc le billet dans la poche « secrète » de son portefeuille, compartiment qu'elle n'avait jamais utilisé auparavant. Elle était satisfaite de sa décision rapide : elle pourrait ainsi oublier cet argent jusqu'à ce que le bon moment et le bon endroit se présentent. Tout sourire, elle paya pour ses achats et retourna chez elle.

Deux semaines plus tard, Sharon se retrouva dans la même file d'attente, à la caisse rapide. Même si elle n'avait que trois articles dans son panier, elle dut patienter derrière une femme âgée, habillée pauvrement. Dehors il faisait très froid. Sharon éprouva de la compassion pour cette femme grelottante dont le visage ridé témoignait de nombreuses années de lutte pénible pour la survie. Le caissier fit le total de ses maigres achats et attendit avec impatience d'être payé. Sharon regardait la femme avec une grande sympathie lorsque ses pensées furent interrompues par le son de sa voix.

« Je suis venue ici il y a deux semaines, dit-elle au caissier pendant que ses doigts arthritiques fouillaient dans son sac à main vide, et j'ai perdu un billet de dix dollars. Maintenant, je n'ai plus assez d'argent pour payer ces quelques articles. »

Quelle extraordinaire coïncidence. « Je n'en crois pas mes oreilles, se dit Sharon. C'est sans doute le moment que j'attendais. » Immédiatement, elle ouvrit la poche secrète de son portefeuille.

Pour attirer l'attention de la vieille femme, Sharon lui tapa légèrement sur l'épaule. « Il y a deux semaines, je suis moi aussi venue ici, madame, et j'ai trouvé ce billet de dix dollars par terre. » Sans une seconde d'hésitation, Sharon sortit sa découverte « porte-bonheur » — le même billet que la femme avait perdu.

*J*ohn Evans* était d'une humeur massacrante. L'évier encrassé débordait de vaisselle sale, des jouets étaient éparpillés partout sur le plancher de la cuisine, des piles de journaux défraîchis encombraient la table de la salle à dîner et des montagnes de lessive non encore triée s'entassaient comme un reproche sur le canapé de la salle de séjour. De la chambre des enfants provenait une cacophonie de cris perçants et de musique tonitruante. « Je ne peux plus supporter ça! » pensa John, frustré et en colère contre lui-même de ne pas être capable de mettre fin au chaos qui avait envahi sa demeure. « Comment Heather faisait-elle pour s'occuper des enfants et de la maison avec tant de perfection? se demandait-il, émerveillé. Elle semblait toujours avoir la maîtrise totale de la situation. »

Heather, celle qui avait été son épouse bien-aimée pendant dix-sept ans, était morte trois mois auparavant des suites d'un cancer du sein. John avait été anéanti par ce décès, mais il n'avait pas eu le temps de pleurer sa femme comme il l'aurait voulu. Il restait seul avec six enfants âgés de trois à quinze ans, et ses moyens lui permettaient seulement d'engager une aide ménagère à temps partiel, deux fois par semaine, pour lui donner un coup de main. En outre, il occupait un poste exigeant de comptable dans une grande entreprise, et la période des impôts approchait. Il ne pouvait rien faire de plus pour à la fois continuer de faire son travail et maintenir un semblant d'ordre à la maison. Et il se sentait sur le point de craquer.

« Jouons à cache-cache! » s'écrièrent les deux plus jeunes enfants, Todd, trois ans, et Tracy, quatre ans, en se précipitant dans le salon, sans prêter attention à leur père assis à son bureau.

« C'est toi qui te caches en premier! ordonna l'aînée des deux. Je vais compter… un, deux, trois, quatre… prêt ou non, j'arrive! »

« Papa, dit Jeff, quinze ans, en entrant dans la pièce, as-tu vu mon disque de Meat Loaf? »

« Papa, appela Susie de sa chambre, où elle travaillait à un comte rendu de lecture, pourrais-tu venir m'aider? »

« Papa, supplia Jim, huit ans, en tirant sur le bras de son père, je ne comprends pas mon devoir de maths. Peux-tu m'expliquer? »

« Papa! s'écria Tracy en revenant dans la salle de séjour, renfrognée. Je n'arrive pas à trouver Todd. Tu as vu où il est allé?

— N'êtes-vous pas en train de jouer à cache-cache? » dit John d'un ton absent, en se frottant les tempes, où une artère s'était mise à palpiter.

« Oui, mais où il est? J'ai cherché partout.

— Continue de chercher, ma chérie. Il a probablement trouvé une cachette formidable à laquelle tu n'avais pas pensé », affirma John en se levant pour aller répondre à la porte.

Un clochard se tenait sur les marches.

« Ouais? grogna John sans aménité.

— Bonjour! dit l'homme gaiement, Mme Evans est-elle là?

— Mme Evans est morte.

— Doux Jésus! s'exclama l'homme, saisi, en portant la main sur son cœur. Que lui est-il arrivé?... Je suis profondément désolé... Quelle charmante femme c'était... Qu'est-il arrivé?

— Cancer du sein », aboya John.

« Papa! papa! cria Tracy en courant vers la porte et en tirant avec insistance sur la manche de son père. Je n'ai toujours pas retrouvé Todd et j'ai regardé partout!

— Ma chérie, répondit John avec impatience, la porte d'entrée était verrouillée lorsque je l'ai ouverte à l'instant. Il n'a donc pas pu sortir de la maison. Il est ici quelque part. Comme il est tout petit, il s'est probablement faufilé dans un endroit auquel tu n'aurais pas pensé. Tu dois chercher mieux! »

« Écoutez, dit-il en se retournant vers le clochard, je suis vraiment désolé, mais je n'ai pas le temps de discuter pour le moment... J'ai des tonnes de choses à faire, je suis débordé. Tenez! » Il fourra deux billets de un dollar dans la main de l'homme.

« Euh… M. Evans… » Le clochard se dandinait d'une jambe sur l'autre, visiblement mal à l'aise. « Je suis désolé de vous déranger dans des moments aussi difficiles, mais je me demande si vous n'auriez pas quelque chose à manger?

— Pourquoi pensez-vous que je vous ai donné deux dollars? Pour vous payer de l'alcool? demanda John avec rudesse.

— M. Evans, reprit le clochard, le regardant d'un air réprobateur. Votre épouse était une femme très spéciale. Chaque fois que je sonnais à la porte, elle me donnait toujours au moins dix dollars. *Et* elle m'invitait à entrer pour prendre un bon repas chaud. Je n'oublierai jamais sa gentillesse. Je lui dois énormément.

— Eh bien, je ne suis pas ma femme, rétorqua John.

— M. Evans, implora le clochard. Je n'ai pas mangé depuis vingt-quatre heures. Vous avez sûrement quelque chose dans le réfrigérateur à me donner?

— C'est bon, entrez », dit John à contrecœur.

Au moment où il faisait entrer l'homme, John aperçut Tracy qui regardait sous le canapé.

« Tu ne le trouves toujours pas, chérie? demanda-t-il.

— Papa, cela fait si longtemps… Pourquoi n'est-il pas encore sorti de sa cachette? Je suis inquiète. »

« Je vous en prie, M. Evans… J'ai si faim! » interrompit le clochard.

« Eh bien, où qu'il soit, il mérite assurément une médaille pour avoir réussi à te déjouer pendant si longtemps, pas vrai? » dit John distraitement à Tracy en se dirigeant vers la cuisine.

En ouvrant le réfrigérateur, il aperçut Todd recroquevillé à l'intérieur, inconscient et le teint bleuâtre.

« Il était moins une, dit le médecin en service à l'urgence de l'hôpital. Quelques minutes de plus enfermé dans le réfrigérateur et il n'aurait certainement pas survécu. Quelle chance que vous l'ayez découvert à temps! Nous l'avons ranimé et il va se rétablir complètement. »

Puis, en s'éloignant, il lança en riant par-dessus son épaule : « La personne qui a eu une fringale à ce moment précis a sauvé la vie de votre fils! »

$\mathcal{R}$osemary Macri était enceinte de huit mois lorsque son bébé montra des signes de détresse cardiaque. « Mon enfant va-t-il être normal? » demanda-t-elle, étendue dans un lit de la maternité de l'hôpital de New York, reliée à des machines qu'elle comprenait à peine. « Nous faisons tout ce que nous pouvons, répondit le médecin, mais je dois vous le dire honnêtement, peut-être que cela ne sera pas suffisant. »

D'innombrables médecins et infirmières assurèrent la surveillance du fœtus au cours des vingt-quatre heures qui suivirent. Mais en dépit de leurs efforts, l'état du bébé se détériora. Les médecins prirent alors la décision de provoquer l'accouchement. Peu après, Rosemary donna naissance à un garçon.

Pendant ce qui lui sembla être une éternité, Rosemary attendit le pronostic, étendue sur son lit d'hôpital. Elle regardait les infirmières aller et venir de leur poste. Elle écoutait les bruits des instruments technologiques et de la télévision. Elle respirait l'odeur des produits désinfectants. Finalement, vaincue par la fatigue et engourdie par le choc, elle s'endormit profondément.

Pendant que Rosemary dormait, le personnel exprima ses préoccupations relativement au mauvais pronostic du nouveau-né. Sachant trop bien que les chances de survie du bébé étaient très faibles, ils décidèrent de faire venir un prêtre. « La mère dort profondément, dit le prêtre, et je crois que dans les circonstances, l'enfant devrait être baptisé. » Aussitôt, l'enfant reçut le sacrement du baptême.

Pendant ce temps, Rosemary dormait paisiblement. Dans son rêve, elle vit son regretté oncle Patrick. « Ne t'en fais pas, dit une voix apaisante, ton enfant ira bien. Tout ira pour le mieux. »

Au moment où prenait fin le baptême impromptu, Rosemary émergea de son profond sommeil. Le rêve où son oncle lui apparaissait et les paroles réconfortantes qu'il avait prononcées l'avaient calmée. Mais elle se glaça de terreur en apercevant le prêtre. Celui-ci s'en aperçut, et lui dit sans attendre : « Ma chère, gardez espoir; la situation était si précaire que nous avons baptisé votre enfant. Nous l'avons nommé Patrick. »

Elle était sur le point de raconter son rêve à l'officiant lorsque les médecins entrèrent. Le prêtre et Rosemary les regardèrent d'un regard suppliant. « Votre fils est hors de danger. »

*J*erry Simon* rencontra Yehuda Finerman* dans un kibboutz, en Israël. Le jeune Simon s'était réfugié dans ce pays après un bref séjour dans l'armée américaine, où il avait été victime de diverses manifestations plus ou moins subtiles d'antisémitisme. « Seulement quelques années se sont écoulées depuis la Deuxième Guerre mondiale, pensait Jerry avec angoisse, et personne ne semble en avoir tiré les leçons. Dans quelle sorte de monde vivons-nous? »

Il trouva donc refuge dans un monde différent — un monde qui avait capté l'imagination d'idéalistes visionnaires et d'aventuriers téméraires, qui accueillait ceux qui en avaient assez de la vie contemporaine, où la concurrence et l'agressivité régnaient en maîtres. Ce monde qui semblait alors idyllique, c'étaient les kibboutz de l'État d'Israël.

Dans les premières années d'existence de l'État juif, Simon fut parmi les milliers d'étrangers qui se portèrent volontaires pour travailler dans un kibboutz, et c'est là qu'il rencontra Finerman, un immigrant européen qui avait survécu à l'Holocauste. Finerman ne parlait jamais des horreurs qu'il avait vécues et Jerry, par discrétion, évitait d'aborder le sujet.

Mais un jour d'été, alors que les deux hommes travaillaient côte à côte sous le soleil brûlant dans les champs du kibboutz, Finerman avait retroussé les manches de sa chemise et Jerry ne put s'empêcher de remarquer les chiffres tatoués sur l'avant-bras de son ami. En lisant ces chiffres, il eut un sursaut de surprise.

« Qu'y a-t-il, Jerry? demanda Finerman.

— Je… je suis désolé, Yehuda, bégaya Jerry, je ne voudrais pas me mêler de ce qui ne me regarde pas, mais j'ai remarqué malgré moi ces chiffres sur ton avant-bras.

— Tu en as sûrement vu de semblables sur d'autres survivants auparavant, répondit Finerman d'un ton cassant.

— Bien sûr que oui. Seulement… eh bien, ce qui m'a frappé, c'est que le numéro de camp de concentration — 7416 —

correspond aux quatre derniers chiffres de mon numéro d'assurance sociale!

— C'est ça qui t'émeut de la sorte? railla Finerman. Ce n'est qu'une simple coïncidence!

— Écoute, Yehuda, supplia Jerry, je sais que c'est difficile pour toi... mais j'ai beaucoup d'amitié pour toi. Énormément. Pourrais-tu me dire dans quelles circonstances tu t'es fait tatouer ces chiffres? »

Finerman regarda Jerry pensivement. « Peut-être les survivants font-ils une erreur de cacher leurs expériences au reste du monde. Peut-être étions-nous destinés à servir de témoins... C'est très bien, Jerry, je vais te raconter en détail comment c'est arrivé. »

Les deux amis s'assirent ensemble dans les champs sous le soleil éclatant et Finerman raconta une histoire qui lui était à la fois familière et étrangère — une histoire qui était non seulement la sienne mais aussi celle de millions d'autres personnes.

« Et puis, conclut Yehuda une heure plus tard, nous nous sommes alignés au tri... mes frères, mes sœurs, mes parents et moi... et on nous a marqués de ces numéros de camp de concentration... par ordre numérique... J'étais l'avant-dernier, juste avant mon frère. Après, on nous a séparés et je n'ai jamais revu aucun d'entre eux. Je suis le seul de ma famille a avoir survécu à la guerre. »

Jerry écoutait en silence lorsque prit abruptement fin le récit des horreurs que Yehuda avait traversées. Devant tant de souffrances, que pouvait-il dire? Il comprenait maintenant pourquoi les survivants étaient si réticents à raconter leur histoire. Leur cauchemar était véritablement inexprimable, indicible — et les mots étaient impuissants à communiquer l'ampleur de l'horreur. Mais n'était-il pas malgré tout nécessaire de briser le silence?

De nombreuses années plus tard, Jerry quitta le kibboutz pour aller travailler dans la région de Jérusalem et de Tel-Aviv à titre de guide touristique. Il s'occupait de riches américains qui désiraient découvrir Israël en bénéficiant d'un service personnalisé dans une confortable limousine. La plupart de ses clients étaient aimables et amicaux, et en général, Jerry aimait son travail. Mais un jour, il prit à l'aéroport un client dont le comportement était tout simplement insupportable.

L'homme était dominateur, rude, brusque et dur. Il tenait à tout contrôler et, installé sur la banquette arrière, ne cessait d'aboyer des ordres et des injonctions à Jerry, qui, de son côté, serrait les dents et faisait un effort presque surhumain pour demeurer poli. Enfin, juste comme il sentait qu'il ne pourrait plus supporter ce traitement plus longtemps, l'homme hurla inexplicablement : « Range-toi sur le bord de la route!

— Quoi? demanda Jerry, confus.

— J'ai dit de t'arrêter sur le bord de la route!… Écoute, dit l'homme à Jerry, qui s'était retourné pour faire face à son tortionnaire, tu ne m'aimes pas beaucoup, n'est-ce pas? »

Jerry demeurait silencieux.

« Je sais que mon comportement peut être odieux et blessant. Parfois j'ai moi-même de la difficulté à croire ce que je suis devenu. Je suis désolé et je te demande pardon. C'est parce que… parce que… je suis si seul au monde. J'ai tant souffert… Certains soirs, il m'arrive de penser que je ne passerai pas la nuit… »

Puis l'homme éclata en sanglots. « Tu crois que je suis un homme d'affaires américain riche et arrogant, mais en réalité, je suis un survivant de l'Holocauste. »

Il roula sa manche, et Jerry aperçut quatre chiffres tatoués. 7… 4… 1… 7.

Les quatre derniers chiffres du numéro d'assurance sociale de Jerry étaient 7416. Et le souvenir toujours poignant et vivace d'une conversation qu'il avait eue il y a longtemps lui revint à l'esprit : « … on nous a marqués par ordre numérique… mes parents, mes sœurs, mes frères et moi. J'étais l'avant-dernier… » Il se rappelait des confidences que lui avait faites Yehuda Finerman cet été-là, des années auparavant, dans le kibboutz.

Les pensées de Jerry furent soudain interrompues par les sanglots torturés de l'Américain.

« J'ai perdu toute ma famille dans ce camp de concentration! s'écria-t-il, tous ont disparu sauf moi! Je n'ai plus personne au monde! »

Interloqué, Jerry regarda fixement l'Américain. Puis, doucement, très doucement, il murmura : « Mon cher ami... vous vous trompez. Le numéro 7416 est bien vivant, et je sais exactement où nous pouvons le trouver. »

$\mathcal{L}$e père O'Reilly* était un homme occupé. En sa qualité d'aumônier desservant quatre hôpitaux de sa région, il était de garde vingt-quatre heures sur vingt-quatre, et il avait été témoin de beaucoup de douleur, de souffrance et de misère au cours de ses dix années de carrière. Pour se ressourcer et se reposer loin de cette existence mouvementée qui menaçait parfois d'avoir raison de lui, il allait souvent se réfugier dans un bâtiment abandonné, un ancien séminaire où il avait étudié dans sa jeunesse. Là, il priait, méditait, lisait ou laissait simplement son esprit vagabonder et ses muscles se détendre. Après un séjour dans ce bâtiment, il se sentait toujours revigoré. Désert et délabré, cet endroit qui tombait en ruines était devenu pour lui un véritable sanctuaire.

Tard un après-midi, après une journée particulièrement exigeante et difficile, le père O'Reilly décida qu'il était temps pour lui de visiter le vieux séminaire. Il avait besoin de l'atmosphère de calme et de tranquillité qui y régnait, et son âme n'avait cesse de se retirer. Il désirait se trouver dans un lieu où il lui serait possible de respirer, de penser et de rêver… seul.

Il pénétra dans le vieux bâtiment abandonné depuis long-temps, mais dont les portes demeuraient ouvertes aux quelques pèlerins qui désiraient encore trouver réconfort dans son enceinte. Il respira l'odeur de moisi caractéristique des lieux à l'abandon et sourit tristement en revoyant les centaines d'étudiants pressés dévaler ses couloirs, pleins de force et de vitalité. « Tout change », pensa-t-il.

Au même moment, son récepteur de recherche de personne retentit.

« Oh non, soupira-t-il, juste comme je commençais à me détendre. »

Il essaya de lire le message, mais pour une raison ou pour une autre, celui-ci était étrangement embrouillé.

« Voilà qui est bizarre, pensa-t-il, qu'est-ce qui arrive à mon récepteur? » Quelqu'un l'avait appelé, mais il n'arrivait pas à savoir qui. Quel était l'hôpital qui avait besoin de ses services?

Comme le vieux séminaire n'avait pas de téléphone en état de fonctionnement, le prêtre dut quitter les lieux afin de joindre les services d'aumônerie des quatre hôpitaux qui possédaient le numéro de son récepteur de recherche de personne.

Non, répondirent toutes les personnes à qui il parla. *Nous ne vous avons pas appelé. Essayez les autres hôpitaux.* Il les contacta tous, mais à chacun d'entre eux, le personnel était aussi perplexe que lui. Aucun des établissements possédant le numéro de son récepteur ne l'avait contacté.

« Mon récepteur doit être défectueux », se dit-il pensivement en reprenant la direction du vieux séminaire pour poursuivre sa retraite interrompue. « Je vais l'apporter demain à la compagnie pour le faire réparer », décida-t-il en franchissant le seuil de l'édifice.

Puis il s'arrêta, incrédule.

Pendant son absence, une aile du bâtiment s'était effondrée.

À l'endroit précis où il se trouvait… à peine quelques minutes auparavant.

$\mathcal{E}$n 1966, l'auteur à succès et pilote Richard Bach faisait de la randonnée aérienne dans le Midwest à bord d'un modèle rare d'avion biplan, un Detroit-Parks P-2A Speedster datant de 1929.

Après s'être arrêté à Palmyra, dans le Wisconsin, Bach prêta l'avion à un ami, qui fit malencontreusement basculer l'appareil en tentant un atterrissage au petit aéroport local. En travaillant ensemble, ils arrivèrent à réparer les dommages, à une exception près : un des mâts avait été fracassé et devait être remplacé. Sachant tous deux qu'ils auraient beaucoup de difficulté à trouver une pièce de rechange de ce genre à Palmyra, Bach et son ami étaient plutôt abattus. En effet, comme il n'existait que sept autres biplans comme celui-là au monde, il était fort peu probable que quelqu'un à Palmyra possède cette pièce en particulier.

Debout près de l'appareil, Bach et son ami commentaient avec découragement la situation sans issue dans laquelle ils se trouvaient lorsqu'un homme s'approcha d'eux et demanda s'il pouvait leur venir en aide. Bach répondit d'un ton sarcastique : « Bien sûr, auriez-vous par hasard un mât transversal pour un Detroit-Parks Speedster 1929 de modèle P-2A? »

L'homme se dirigea vers un hangar et revint quelques minutes plus tard avec rien de moins que la pièce qui devait être remplacée!

Dans son livre intitulé *Nothing by Chance*, Bach fait la remarque suivante : « Les probabilités pour que nous endommagions le biplan précisément dans la petite ville où vivait un homme qui possédait la pièce vieille de quarante ans nécessaire pour le réparer, pour que cet homme se trouve justement sur les lieux lorsque l'événement s'est produit, et pour que nous garions l'appareil juste à côté de son hangar, à trois mètres à peine de la pièce dont nous avions besoin, ces probabilités étaient si faibles qu'il serait farfelu de parler ici de "coïncidence". »

Commentaire

De temps en temps, les événements nous rappellent qu'il nous faut prendre du recul, lever les yeux vers le ciel et simplement reconnaître qu'une main guide nos vies.

*J*e croyais mon mariage idyllique. J'étais certaine que mon mari était un citoyen respectable, droit et respectueux des lois. Je ne doutais pas non plus que nous avions une relation ouverte et honnête et que nous savions tout ce qu'il y avait à savoir l'un de l'autre.

Mais lorsque je découvris un jour de la drogue cachée dans un compartiment de son porte-documents, je compris que tout ce que j'avais cru jusque-là à propos de mon mari et de notre union n'était que faux-semblants.

Quinze années de mensonge, voilà à quoi se résumait ma vie, pensai-je en regardant les petits sacs de plastique remplis de poudre de cocaïne enfouis dans leur cachette. Comment la vérité avait-elle pu m'échapper pendant si longtemps? Comment avais-je pu être aussi naïve? Comment avais-je pu vivre avec un toxicomane sans même m'en rendre compte?

Ce n'est pas la surprise de découvrir que mon mari se droguait qui m'éloigna de lui irrévocablement. J'aurais pu vivre en sachant qu'il était aux prises avec un grave problème. Je suis une personne loyale et je l'aurais soutenu sans hésiter. Ensemble, nous aurions pu essayer de surmonter la crise. Mais j'étais tout simplement incapable d'accepter que pendant toutes ces années, il m'aie *menti* et constamment trompée en inventant d'innombrables subterfuges afin de continuer à se droguer et de m'empêcher de découvrir la vérité.

Pour moi, l'honnêteté entre partenaires était un élément essentiel, sans lequel toute relation était impensable.

Âgée de quarante ans et nouvellement divorcée, j'allais donc devoir m'occuper seule de mes cinq enfants, sans aucune compétence qui m'aurait permis d'intégrer le marché du travail. Toute ma vie, je m'étais consacrée à l'entretien de la maison et à mon foyer, résistant à l'envie de faire carrière afin d'être constamment présente dans la vie de mes enfants. À l'époque où j'avais quitté mon emploi pour avoir mon premier enfant, aucun bureau ne possédait d'ordinateurs. Maintenant, l'informatique était partout. Comment allais-je arriver à subvenir aux besoins de ma famille?

« Épouse isolée » était le terme employé pour me décrire, de même que des dizaines de milliers de femmes dans la même situation que moi.

Je fis appel à de nombreuses agences, remplissant des demandes pour suivre des cours de formation ou pour obtenir un secours d'urgence. On m'assura que j'allais bientôt obtenir de l'aide. Mais en attendant, les factures s'empilaient et j'avais cinq jeunes bouches affamées à nourrir. Comment allais-je y arriver?

Je travaillais un peu à titre de gardienne d'enfant le jour, et le soir dans une entreprise de télévente. Mais avant que je ne sois acceptée dans un cours de formation et que je n'aie acquis de réelles compétences, chaque mois allait être une terrible épreuve.

Un jour, je me rendis compte que je n'en pouvais plus, la pression étant devenue trop forte et mon fardeau trop lourd à porter. Le loyer était dû pour le lendemain et il me manquait 240 $. De plus, le réfrigérateur de même que les armoires étaient vides, et ce soir là, je n'avais rien à donner à manger à mes enfants. Jusque-là, j'avais toujours réussi tant bien que mal à payer le loyer et à nourrir les petits. Mais j'étais à bout de forces. Tout semblait s'effondrer, y compris moi-même.

Me sentant complètement seule et démunie, je me mis à pleurer. À qui pourrais-je demander de l'aide?

Prie! m'enjoignit une voix provenant de l'intérieur de moi.

Prier? lança une autre voix, d'un ton railleur.

Pourquoi pas? me dis-je en haussant les épaules. Cela ne peut certainement pas faire de tort.

Puisant dans les profondeurs de mon âme, je dis une prière. Pensant à mes tourments, à mon angoisse, à ma peine et à ma douleur, je priai, avec une ferveur sans précédent.

« Mon Dieu, dis-je, je vous demande de m'aider à payer le loyer de ce mois-ci et à nourrir mes enfants ce soir. Je ne veux ni luxe ni extravagances, mais je vous supplie de m'aider à *survivre.* »

Au même moment, on frappa à la porte. C'était mon oncle et ma tante, qui firent irruption dans la maison, les bras chargés de sacs d'épicerie. Je les regardai, interloquée.

J'étais surprise non seulement parce que mon oncle et ma tante vivaient dans un quartier éloigné de la ville, mais parce que depuis des années, ils avaient en quelque sorte coupé les ponts avec notre famille et n'avaient communiqué avec nous que sporadiquement. Je ne leur avais pas parlé depuis des mois.

Pourtant ils étaient bien apparus devant moi, quelques secondes à peine après que j'aie terminé ma prière — une réponse en chair et en os à mes supplications!

J'étais si troublée par le lien qui semblait exister entre leur arrivée soudaine et inattendue et mes prières que je ne pouvais que bégayer des mots exprimant surprise et gratitude.

Après leur départ, je réfléchis — impressionnée et émue — au mystère entourant cette heureuse visite. Je n'avais récemment parlé à personne qui les fréquentait, et, par excès d'orgueil, je n'avais fait part à aucun de mes amis ou des membres de ma famille de la gravité de ma situation. Bref, personne ne savait que mes armoires étaient vides.

Lorsque j'avais tenté de demander à mon oncle et à ma tante ce qui les avait incités à venir chez moi, ils avaient tout simplement répondu : « Oh, nous passions dans le coin et nous nous sommes dit que tu aurais peut-être besoin de victuailles. »

Une réponse qui me laissa sur ma faim, si je peux dire.

J'étais soulagée au plus haut point à l'idée que mes enfants seraient rassasiés ce soir-là. Mais qu'allais-je faire pour le loyer?

En vidant les sacs d'épicerie, je remarquai une enveloppe blanche discrètement placée à l'intérieur de l'un d'entre eux. Mon nom y était inscrit.

Après l'avoir ouverte, je trouvai à l'intérieur douze beaux billets de vingt dollars. Un total de deux cent quarante dollars.

Voilà une étrange somme à donner en cadeau.

Mais c'était précisément le montant qui me manquait pour payer le loyer.

*— Chrissie Jenkins**

Commentaire

Réciter une prière, c'est comme libérer un oiseau au bec pointu et le laisser s'élever vers le ciel, puis le regarder percer l'enceinte céleste.

$\mathcal{U}$n jour de l'année 1977, Teri Baucum se baignait dans un lac en compagnie de ses jeunes frères et de son chien lorsqu'elle mit le pied sur un objet pointu, qu'elle se pencha pour ramasser. En ouvrant la main, elle constata qu'il s'agissait d'une bague d'étudiant, enduite de boue et couverte de mollusques. À l'intérieur de l'anneau de la lourde bague d'allure aristocratique se trouvait une inscription : *K. Sprott, 1956.*

« Oh la la, dit-elle, avant d'émettre un long sifflement. Ce bijou est là depuis bien longtemps. »

Si elle avait été plus âgée, peut-être aurait-elle pensé à faire des recherches qui l'auraient menée jusqu'au collège d'où provenait la bague puis, en fin de compte, jusqu'à son propriétaire. Elle aurait pu également effectuer sa propre enquête dans la région entourant le lac, dans le but de dénicher le propriétaire. Mais elle n'était qu'une petite fille fluette, jeune et inexpérimentée, et elle ignorait les innombrables moyens qui existaient pour retrouver le propriétaire d'un objet trouvé.

Comme les bagues d'étudiant n'ont de toute façon pas beaucoup de valeur, il ne lui vint même pas à l'idée de faire des recherches approfondies. Par contre, elle ne put se résoudre à simplement remettre la bague dans l'eau. « Je vais la garder, se dit-elle. On ne sait jamais. »

Elle rapporta la bague à la maison, la jeta dans un tiroir et en oublia immédiatement l'existence. Mais chaque fois qu'elle déménageait, elle prenait la bague, enfouie dans un coin de tiroir de sa table de toilette et l'emportait avec elle dans sa nouvelle demeure. « Pourquoi est-ce que je persiste à garder cette vieille bague? » se demandait-elle à l'occasion, ne comprenant pas ses propres motivations. « À quoi bon? »

Vingt années plus tard et quatre États plus loin, Teri, épouse comblée, vivait dans une maison située près d'un lac. Tôt un samedi matin, son mari, debout sur la terrasse extérieure, admirait le paysage lorsque son attention fut attirée par un spectacle inhabituel. Il se précipita dans la chambre à coucher en criant, sans égard pour Teri, qui était profondément endormie. « Hé, Ter, réveille-toi et viens voir ça! »

Teri s'enfouit la tête sous les couvertures. Contrairement à son mari, elle ne travaillait pas le samedi et tenait à s'offrir le luxe d'une grasse matinée. Mais son mari insistait, et finalement, pour lui faire plaisir, elle s'extirpa du lit, engourdie par le sommeil, et tituba jusqu'à la terrasse pour connaître la cause de toute cette agitation.

Une volumineuse montgolfière flottait tranquillement au-dessus du lac. « C'est très beau, mon chéri, articula-t-elle poliment, puis retourna aussitôt dans son lit. « J'espère que je pourrai me rendormir », se dit-elle avec lassitude, laissée froide par le spectacle qui enthousiasmait tant son mari.

Mais quinze minutes plus tard, celui-ci se précipita de nouveau dans la chambre à coucher, mais cette fois son enthousiasme s'était transformé en inquiétude.

« Il faut que tu voies le ballon maintenant, s'écria-t-il. Le pilote semble en avoir perdu la maîtrise. Il se déplace à pleine vitesse au-dessus du lac et se dirige vers nous! Cette chose va entrer en collision *avec notre maison!*

— Ne sois pas ridicule », marmonna Teri, se couvrant une fois de plus la tête avec les couvertures.

Mais son sommeil fut interrompu pour une troisième fois, à peine quelques minutes plus tard, par de grands coups frappés à la fenêtre. C'était son mari, qui gesticulait comme un fou. Elle courut à l'extérieur, alarmée par ce comportement frénétique.

Conformément à la sinistre prédiction de son conjoint, le ballon s'était écrasé sur leur maison!

La montgolfière était coincée entre les branches de l'arbre d'ombrage, à côté de la maison, et les fils du système de câblodistribution. L'aérostier, quant à lui, était suspendu dans les airs, accroché à une corde. « Oh mon Dieu, il va se tuer! », cria Teri, horrifiée.

Impuissante, elle regarda son mari grimper posément vers le haut de l'arbre en direction du ballon, qui penchait dangereusement vers le toit de la maison. Lentement, péniblement, il aida un homme âgé et un jeune garçon à se dégager de la nacelle dans laquelle ils étaient emprisonnés. Finalement, après ce qui sembla être une éternité, il réussit à les ramener sains et saufs sur le plancher des vaches.

Le vieil homme s'essuya puis tendit galamment la main. « Merci beaucoup de nous avoir sauvé la vie! Mon nom est Kingswood Sprott Junior. »

Sans une seconde d'hésitation, Teri répondit : « Et moi… j'ai votre bague d'étudiant! »

« *R*on, c'est bien toi? » dit une voix fébrile à l'autre bout du fil.

« Oui, qu'y a-t-il? » demanda Ron, remarquant le ton inquiet de sa sœur.

« C'est Caron, répondit-elle. Elle est malade, très malade, et elle doit aller à l'hôpital! Viens nous rejoindre au Mount Sinai le plus vite possible! »

Perturbé par cette nouvelle, Ron s'adressa à sa secrétaire : « Carol, c'était ma sœur. Vous vous souvenez de ma nièce, Caron Graham? En bien, elle est en route vers l'hôpital et je vais m'y rendre aussi pour voir si je peux faire quelque chose. Voulez-vous annuler mes rendez-vous de l'après-midi? » Ron prit son manteau dans le placard et sortit précipitamment.

Lorsque Carol rentra à la maison après le travail, elle parla de Caron à son fils de cinq ans. Après avoir écouté sa mère attentivement, celui-ci se rendit dans sa chambre, puis en revint quelques minutes plus tard en tenant à la main une rose en papier.

« Maman, pourrais-tu donner cette rose à Caron? demanda-t-il.

— Oh, mon chéri, dit Carol, visiblement émue par le geste de son fils. J'ai malheureusement une journée très remplie demain, mais je vais essayer. Peut-être pourrais-je passer avant de me rendre au bureau. Où as-tu trouvé cette belle chose?

— Dimanche dernier, à la messe, maman, j'ai remarqué cette rose par terre dans l'allée à côté de notre banc. Quand tu es allée communier, je me suis penché pour la ramasser. Au même moment, une vieille dame emmitouflée dans un châle, que je n'avais jamais vue auparavant, est venue vers moi et m'a dit que la rose était destinée à un personne qui avait besoin d'un miracle. Puis elle a ajouté : "Assure-toi de mettre la rose dans la main de la personne de façon à ce qu'elle entre en contact avec sa peau." Je parie que cette rose est destinée à Caron, maman. »

Carol regarda son fils avec adoration et prit la rose. « Je vais m'assurer de la mettre dans la main de Caron. Je te le promets. Et maintenant, jeune homme, que dirais-tu d'un bon dîner? »

Le matin suivant, Carol se dirigea vers le service des soins intensifs de l'hôpital Mount Sinai, où elle rencontra plusieurs membres de la famille, y compris Ron, qui se tenait tout près du petit lit de Caron, l'air grave. Il était clair que l'enfant était dans un état critique. Les renseignements figurant à l'écran installé au-dessus de son lit ne mentaient pas. On pouvait y lire un chiffre au début de la soixantaine, dangereusement en-dessous de la normale, qui était de 100.

Carol s'approcha du lit. Tout doucement, elle plaça la rose de papier dans la main de Caron. Se souvenant des paroles de son fils, elle s'assura que le délicat objet touche la peau de la frêle fillette.

Puis elle attendit. Elle ne se faisait aucune illusion en ce qui a trait à une possible guérison. Néanmoins, elle ferma les yeux et dit une prière en silence.

Presque immédiatement, elle entendit la mère de Caron dire avec émotion : « Regardez, le nombre augmente! »

Carol regarda immédiatement à l'écran. Avait-elle la berlue?

Mais c'était vrai. Les membres de la famille se mirent à compter à l'unisson, à mesure que l'indicateur grimpait : « 64, 65, 66, 67, 68, 69. »

Les voix étaient devenues trop fortes pour un endroit comme les soins intensifs. Inquiètes, deux infirmières accoururent pour connaître la source de toute cette commotion. L'émotion était palpable autour du lit de la petite Caron, d'autant plus que l'indicateur continuait à grimper. Le nombre 95 apparaissait maintenant à l'écran.

« Est-ce possible! cria la mère de Caron.

— C'est impossible », dit Ron. Les autres membres de la famille entonnèrent en chœur les cinq derniers nombres, dans l'euphorie générale : « 96, 97, 98, 99, 100! »

La rose avait rempli sa mission, et les joues de Caron reprirent leur couleur. Personne ne semblait comprendre ce qui s'était passé. Mais Carol, elle, le savait. Discrètement, elle dégagea la petite rose de papier du poing de Caron et la remit dans son sac à main.

Toutes les personnes qui étaient présentes dans le service des soins intensifs — le personnel, les médecins, les infirmières, mais surtout la famille de Caron — s'arrêtent encore parfois pour penser à ce qu'ils ont vu ce jour-là. Et pour s'accorder un temps de réflexion, émus et émerveillés.

Commentaire

Des choses en apparence banales peuvent posséder le pouvoir de nous transformer de la manière la plus sublime, car en vérité, il n'y a rien de banal dans le monde de Dieu.

*U*n après-midi, Douglas Johnson, qui vivait à Londres, en Angleterre, prit par inadvertance le mauvais autobus pour se rendre à la maison et ne se rendit compte de son erreur qu'après avoir parcouru une bonne distance. Au lieu de rebrousser chemin afin de prendre le trajet habituel, Johnson décida de rester dans cet autobus roulant dans la mauvaise direction et d'admirer le paysage, nouveau pour lui.

L'autobus se rendit jusqu'à un quartier périphérique de Londres, que Johnson ne visitait que rarement, et passa devant l'immeuble d'une femme qui avait été sa cliente deux années auparavant. Impulsivement, Johnson décida de quitter l'autobus et de lui rendre visite, étant donné qu'il était dans le coin. Il monta jusqu'à l'appartement de son ancienne cliente et frappa à la porte. Pas de réponse. Il perçut alors une odeur de gaz. Il frappa encore et se mit à crier. Toujours pas de réponse. Après avoir fracassé la porte, il découvrit la femme inconsciente, la tête dans le four. Elle avait tenté de se suicider.

Heureusement, Johnson arriva juste à temps pour lui sauver la vie.

— *Alan Vaughan*

Commentaire

Lorsqu'on apparaît au bon endroit au bon moment, on joue un rôle dans un plan d'envergure cosmique.

*J*e vais au bar ce soir. Tu es de la partie? » dit Michelle Holder à sa copine, Dawn Montgomery. Extravagante et chahuteuse, Michelle savait qu'elle pouvait toujours compter sur son impétueuse amie pour faire la fête. Et ce soir-là ne faisait pas exception à la règle.

« Je t'attends », répondit vivement Dawn. Peu de temps après, Michelle garait sa voiture devant l'immeuble de Dawn. Elle était habillée pour la circonstance et prête à s'amuser. Dawn se glissa dans le siège avant et regarda sa comparse avec un sourire radieux. Leurs amis de cœur respectifs, Shaun et Doug, des marins, étaient tous deux partis en mer. Cela voulait dire qu'elles disposaient de beaucoup de temps pour elles-mêmes, et elles se sentaient libres.

« La nuit nous appartient! » s'exclama Michelle en riant, tout en embrayant et en appuyant sur l'accélérateur. Par réflexe, Dawn allongea le bras pour dérouler la ceinture de sécurité, quand elle se rappela que cela ne servait à rien. En effet, depuis les trois années qu'elle connaissait Michelle, la ceinture de sécurité du siège avant avait toujours été brisée. Irrémédiablement. Non seulement était-il impossible de la dérouler plus que quelques centimètres, mais la boucle avait été arrachée et il ne restait qu'une courroie. Comme d'habitude, Dawn haussa les épaules et dit : « Pas de problème, on y va! »

L'absence de ceinture de sécurité n'avait jamais dérangé Dawn. En fait, elle trouvait cela plutôt amusant. Elle vivait dangereusement, faisant fi de toute prudence, et aimait le danger. Si elle apercevait un agent de police s'approcher d'un peu trop près de la voiture, elle tirait la ceinture jusqu'à son épaule. Une fois le policier hors de vue, elle lançait impunément la courroie brisée en arrière en disant : « Ha! je les ai roulés encore une fois! ». Telle était son attitude.

Ce soir-là, Michelle et Dawn se rendirent à leur boîte de nuit favorite : le bar Beach Club, à Oceanside, en Californie. La musique jouait à tue-tête et l'alcool coulait à flots. Tout en dansant et en flirtant, les deux femmes burent de nombreuses consommations, un peu trop même. À la fin de la soirée, lorsqu'elles sortirent de la boîte, elles étaient passablement éméchées — voire carrément saoules. « Oh mon Dieu, dit Dawn, articulant difficilement, je ne peux même pas voir où est la voiture.

— Elle est par là, non? » marmonna Michelle, qui titubait en montrant du doigt le coin le plus éloigné du stationnement. Les deux amies pouvaient à peine marcher, mais en s'appuyant l'une sur l'autre, pouffant de rire, elles finirent par se rendre jusqu'à la voiture d'un pas traînant. Elles cessèrent toutefois de rire lorsqu'elles prirent place dans le véhicule. Dans un éclair de lucidité, Michelle reprit son sérieux. « Je crois que nous devrions tout simplement dormir dans la voiture, dit-elle, étant donné qu'aucune de nous deux n'est capable de distinguer le volant.

— C'est une idée géniale », répondit Dawn, en s'affaissant vers l'avant. Les deux femmes basculèrent immédiatement dans le sommeil.

Quelques minutes ou quelques heures plus tard, elle n'aurait pu le dire, Dawn se réveilla en sentant le vent souffler sur son visage. Pendant une fraction de seconde, elle s'alarma. « Oh non! pensa-t-elle, Michelle a-t-elle décidé de prendre le volant? Sommes-nous sur l'autoroute? » Mais, les vapeurs de l'alcool ne s'étant pas encore dissipées, Dawn se révéla incapable de se redresser sur son siège. Elle chassa cette pensée, croyant faire un rêve bizarre, et se rendormit profondément. Mais c'était vrai, Michelle avait bel et bien décidé de conduire, même abrutie par la boisson.

Tout ce dont Dawn se rappelle, c'est de s'être ensuite réveillée en apercevant d'éclatantes lumières blanches fluorescentes. Son corps était couvert de bandages, et un enchevêtrement de sondes la reliait à toutes sortes de machines. La terreur l'envahit. « Où suis-je? » hurla-t-elle.

Un policier qui se tenait à proximité vint à son chevet. « Vous êtes dans la salle d'urgence, dit-il. Je regrette de vous annoncer que vous et votre amie avez eu un terrible accident. »

Dawn pouvait entendre les cris de son amie Michelle, en provenance de l'autre extrémité de la pièce. « Comment va mon amie? demanda-t-elle instamment.

— Elle va mal, répondit gravement le policier. Ils sont en train de retirer des éclats de vitre de son visage. La voiture où vous vous trouviez est entrée en collision avec un pilier du pont, et votre amie a été projetée à travers le pare-brise. Ensuite, elle s'est fracassé le visage sur le pavé après avoir été criblée d'éclats de verre. »

Dawn se renversa en arrière et ferma les yeux. Tout cela était-il vraiment en train de se produire? Où s'agissait-il simplement d'un mauvais rêve, qui venait troubler son sommeil éthylique? Dans une certaine mesure, il y avait encore de l'alcool dans son système. En plus, on lui avait administré de la codéine pour calmer la douleur. Mais même si ses émotions étaient quelque peu engourdies, elle sentit monter en elle un intense sentiment de colère envers Dieu. « Pourquoi m'avez-vous laissée survivre? demanda-t-elle en pleurant. Pourquoi ne m'avez-vous pas laissée mourir? »

Au même moment, ses pensées furent interrompues par les graves paroles du policier : « Vous auriez pu y rester. »

Mais Dawn n'était pas d'humeur à parler. « Je sais », répondit-elle d'un ton monocorde, espérant mettre ainsi fin à la conversation.

Mais l'agent ne se décourageait pas. Il poursuivit : « Si vous n'aviez pas fait preuve de bon sens, nous aurions probablement dû appeler vos parents pour qu'ils viennent identifier votre cadavre.

— De bon sens? rétorqua Dawn. Que voulez-vous dire?

— Vous portiez votre ceinture de sécurité! répliqua le policier.

— Ma *ceinture de sécurité?* » Dawn était déroutée. Elle cria au policier que la ceinture de sécurité de la voiture était inutilisable car elle n'avait même pas de boucle. Mais l'agent ne se laissait pas berner, pas cette fois-là en tous cas. « Regardez, dit-il en montrant du doigt le rapport des auxiliaires médicaux. C'est écrit ici qu'on a dû découper votre chandail et votre ceinture de sécurité pour pouvoir vous extraire de la voiture. Ils ont réussi juste à temps, car celle-ci était en équilibre précaire au bord du pont. Dès qu'ils vous ont extirpée des décombres, elle a basculé et plongé dans l'eau. Mais je vous assure, sans votre ceinture de sécurité, vous auriez été projetée à travers le pare-brise et abouti dans l'eau vous aussi. »

Dawn Montgomery n'arrivait pas à en croire ses oreilles. Lorsqu'elle baissa les yeux pour examiner son corps, elle fut encore plus étonnée. Là, en travers de sa poitrine et au-dessous de sa taille se trouvait une marque bleue et noire reconnaissable entre toutes. La meurtrissure suivait le tracé exact d'une ceinture de sécurité.

Au cours des nombreuses semaines de convalescence qui suivirent, Dawn demeura perplexe face à ce mystère.

Elle quitta l'hôpital avant Michelle, dont les blessures nécessitaient un séjour plus long. Le jour où son père vint enfin la chercher, elle lui demanda une faveur. « Papa, dit-elle, j'aimerais que l'on s'arrête à la décharge de ferraille. J'ai entendu dire qu'on avait retrouvé la voiture et je sais où elle est. Je voudrais simplement vérifier quelque chose. » Une fois dans la voiture, le père de Dawn se rendit compte que la décharge n'était pas sur le chemin de la maison, mais il était si heureux que sa fille soit vivante et rétablie qu'il accepta de répondre à sa demande. « Bien sûr, dit-il. Tu n'as qu'à m'indiquer le chemin. » À la décharge de ferraille, Dawn scruta les montagnes de métal tordu jusqu'à ce qu'elle reconnaisse la voiture de Michelle. La vitre du côté où elle était assise était baissée, et elle jeta un coup d'œil à l'intérieur afin d'examiner cette ceinture de sécurité qu'elle connaissait si bien. Ce qu'elle vit lui donna le frisson. Sans l'ombre d'un doute, une boucle de métal se trouvait là où jadis il n'y avait eu qu'une courroie effilochée.

Post-scriptum : À la suite de l'accident, qui survint le 19 avril, Dawn décida de cesser de boire. Elle fit plusieurs tentatives infructueuses jusqu'au 22 juillet, date où elle entreprit un programme de réhabilitation, qu'elle suit toujours aujourd'hui. Elle est d'avis que le jour où elle a cessé de boire a été celui où elle a vraiment commencé à vivre.

Mais qu'en est-il du miracle qui lui sauva la vie lors de cette nuit fatidique? Peut-être une âme sœur veillait-elle sur elle. Sa grand-mère, Irene Kohen, était morte longtemps avant sa naissance, mais les membres de la famille avaient toujours remarqué avec étonnement à quel point Dawn — avec sa personnalité enjouée, ses cheveux d'un roux éclatant et ses yeux d'un bleu chaleureux — en était le portrait tout craché. En fait, les membres de la famille affirment que la ressemblance est si frappante que Dawn pourrait fort bien être la réincarnation d'Irene.

De plus, les vies des deux femmes semblent s'être croisées à deux dates importantes. Le jour de l'accident de Dawn, le 19 avril, est la date exacte du décès d'Irene Kohen. Et le jour où Dawn a repris sa vie en main en cessant de boire, le 22 juillet est — ironiquement — la date de l'anniversaire d'Irene Kohen.

Commentaire

Lorsque nous avons le bonheur de bénéficier d'une intervention divine, la vie qui nous est rendue devient une vie reconquise dans la joie.

$\mathcal{J}'$ adore mon travail d'animateur de l'émission télévisée « *Frugal Gourmet* », à l'occasion de laquelle j'ouvre les portes de ma cuisine aux téléspectateurs pendant une demi-heure chaque semaine. Je suis heureux d'avoir pu permettre à ma femme Patty et à mes deux fils, Channing et Jason, de mener une existence confortable. Il serait parfois tentant de croire que mon succès est essentiellement le fruit de mon dur labeur. Mais dès le début de ma carrière, à une époque où j'ai cru que tout était fini pour moi, j'ai appris une importante leçon et j'ai compris qui préside vraiment à nos destinées.

À l'époque ou j'étais jeune pasteur, j'œuvrais à titre d'aumônier de l'université de Puget Sound, à Tacoma, dans l'État de Washington. Je donnais un cours sur les formes de cultes du premier siècle. Un jour, une jeune femme fit le comte rendu d'un livre portant sur la nourriture et la théologie. Vivement intéressés par ce sujet, moi et mes étudiants décidâmes de concevoir un nouveau cours intitulé « La nourriture en tant que sacrement et célébration », dans le cadre duquel un déjeuner était servi. Le cours devint si populaire qu'il se remplissait chaque semestre longtemps avant le début de la période officielle d'inscription.

J'aimais tant travailler avec la nourriture que je mis sur pied un service de traiteur avec certains de mes étudiants. Cela exigeait de travailler avec acharnement pendant de longues heures, mais j'avais toujours été un bourreau de travail. De plus, comme ma femme et moi venions d'acheter notre première maison et désirions fonder une famille, il me semblait que c'était le bon moment d'étendre mes activités. Je finis par quitter mon emploi à l'université pour ouvrir une école de cuisine ainsi qu'un commerce d'articles de cuisine. Comme je suis du genre à vouloir tout contrôler, je mettais mon grain de sel dans toutes les activités de mes entreprises.

Puis, en 1973, un ami producteur me demanda si j'accepterais de faire une émission pour la station PBS locale de Tacoma. J'avais l'habitude de dire que cette station était si petite qu'elle diffusait dans un rayon d'à peine six rues. Mais comme c'était un ami et qu'il avait besoin de mon aide, j'acceptai. Ainsi, une fois par semaine, j'apportais ma propre nourriture ainsi que ma batterie de cuisine, j'emmenais mes assistants, et nous préparions une recette devant les caméras.

De plus, mes étudiants et moi publiions nos propres livres de cuisine, que j'empilais dans mon sous-sol. Avec l'école, le magasin et l'émission, je considérais que Dieu m'avait donné des moyens merveilleux et inhabituels pour exercer mon ministère, en me permettant de rejoindre des gens que je n'aurais jamais pu rencontrer à l'église. Mais souvent, j'avais de la difficulté à maintenir le rythme et à garder à l'œil tous les aspects de chacun de mes projets.

Après plusieurs années exténuantes, l'émission de télévision était devenue si populaire que la grande station PBS de Chicago décida de produire une série destinée à être diffusée à l'échelle de tout le pays. De plus, les producteurs promettaient de la prolonger et de l'inscrire à la programmation régulière si tout se déroulait comme prévu. Je me rendis donc à Chicago pour tourner plusieurs émissions, et tout alla si bien qu'une date fut fixée pour le début de la saison suivante. C'était une bonne chose, parce que du côté de mon commerce, rien n'allait plus. En effet, à cette époque, les écoles et les commerces de cuisine semblaient pousser à tous les coins de rue. Nous perdions de l'argent depuis déjà quelque temps lorsque je décidai de tout vendre au début de 1982.

Un jour, après la vente de l'entreprise, je m'assis à mon bureau devant une pile de factures et résolus de les payer toutes, dans l'ordre. Mes réserves d'argent furent bientôt épuisées, mais il restait d'importantes factures à régler. Même après tout ce travail acharné, j'accusais un déficit de 70 000 $.

Dieu merci pour le contrat de Chicago, me dis-je. Dans deux semaines seulement, je recommencerais à toucher un revenu. Je reprendrais ma course folle, m'astreignant à maintenir la cadence, à tout superviser...

Pendant tout ce temps, ma femme avait tenté de me convaincre de ralentir. « Pense à ton cœur, Jeff », m'avertissait-elle.

C'était là un conseil prudent. Enfant, j'avais souffert de rhumatisme articulaire et je m'étais par la suite apparemment entièrement rétabli. Ce n'est qu'à l'âge de quinze ans que j'eus mon premier examen médical complet. Mon médecin me demanda alors : « Depuis combien de temps as-tu ce souffle au cœur? »

Il m'envoya voir un spécialiste, qui me dit qu'un jour je devrais me faire remplacer une valve cardiaque endommagée. Mais à cette époque, les techniques chirurgicales dans ce domaine n'en étaient qu'à leurs balbutiements, et les médecins me conseillèrent d'attendre. J'oubliai donc le fait que j'avais une bombe à retardement dans la poitrine et continuai à vivre ma vie.

Puis vint l'été de l'année 1982. Depuis des mois, j'avais tendance à me fatiguer aisément, mais j'attribuais cette situation au stress. La semaine précédant mon départ pour Chicago, je me réveillai un matin à bout de souffle. « Patty, dis-je en haletant, Je ferais mieux d'aller voir le médecin. »

Lorsque je me rendis au cabinet de mon médecin, celui-ci m'examina sommairement et demanda aussitôt à sa secrétaire de téléphoner au Dr Lester Sauvage, chirurgien cardiaque bien connu de Seattle. Après avoir effectué plusieurs tests, le Dr Sauvage fixa une date pour une opération à cœur ouvert — qui tombait le jour où je devais enregistrer ma première émission à Chicago. Patty communiqua avec les producteurs pour leur dire que je serais malheureusement incapable d'honorer mon engagement.

Le Dr Sauvage me fit part du pronostic en toute honnêteté. Il y avait trois issues possibles : l'opération serait une réussite; elle ne réussirait pas et j'allais mourir; ou le traumatisme me ferait basculer dans un état végétatif irrémédiable.

Je n'oublierai jamais le soir précédant l'opération. J'étais étendu, seul dans ma chambre d'hôpital, et je faisais le bilan de ma vie. J'avais déployé tant d'efforts pour arriver à tout contrôler. J'avais travaillé jour et nuit. Je m'étais rendu extrêmement malheureux, et où tout cela m'avait-il mené?

À quarante-deux ans, j'étais sans emploi et j'avais une famille à nourrir ainsi qu'une dette de 70 000 $. Comme j'avais la foi, la mort ne me faisait pas peur, mais la perspective de sombrer dans un état végétatif m'horrifiait.

Et je ne pouvais changer quoi que ce soit à cet état de fait.

C'est à ce moment que je me rappelai ce que le théologien Rudolf Bultmann avait dit à propos des situations où nous nous trouvons acculés au pied du mur : lorsque vous avez si peur que vous êtes totalement désemparé, c'est que vous êtes sur le point de connaître soit la mort, soit la grâce. Et la grâce, pour paraphraser Bultmann, survient lorsque vous en êtes réduit à la dernière extrémité et que vous réalisez soudain que vous n'avez aucun contrôle sur les choses, et que c'est bien comme ça.

Ma vie était entre les mains de Dieu, comme elle l'avait toujours été. Je n'avais fait que me comporter comme si elle avait été dans les miennes, comme si toute chose relevait de moi. Le message que je reçus lors de cette sombre nuit fut le suivant : fais confiance au Seigneur et détends-toi.

« Mon Dieu, dis-je, ma vie vous appartient. Ma santé vous appartient. Ma dette vous appartient. Apprenez-moi à me détendre. »

Le matin suivant, ce message me fut réitéré avec éloquence. Lorsque je levai les yeux pour regarder le Dr Sauvage, dans la salle d'opération, j'eus l'absolue certitude que ma vie n'était plus entre mes mains.

À mon réveil, après la chirurgie, la première chose que je me dis fut : *je peux penser!* Je n'avais jamais connu de plus grande joie. Je me mis à prier pour exprimer ma reconnaissance.

À mesure que je récupérais, je me sentais habité par un flot d'énergie spirituelle. Dieu m'avait donné la vie, et je lui avais confié mon avenir. Ainsi, chaque fois que je commençais à me faire du mauvais sang à propos de ma dette de 70 000 $, ou de mes sombres perspectives en matière d'emploi, je m'enjoignais de lâcher prise et de redonner les commandes au Seigneur.

Les producteurs de Chicago téléphonèrent pour prendre de mes nouvelles et promirent à ma femme qu'ils reprendraient contact avec moi, mais je n'y comptais guère. Le Jeff d'avant l'opération aurait eu des nœuds dans l'estomac, mais je savais dorénavant que les choses étaient entre les mains de Dieu, et non entre les miennes. Puis je reçus une invitation inattendue à l'émission de Phil Donahue.

À tout hasard, j'emportai quelques exemplaires de mon vieux livre de recettes à reliure spirale. « Quel est le prix que nous devons annoncer? » me demanda Phil à mon arrivée au studio. Le prix de production de chaque livre était de trois dollars, et je les avais toujours vendus au prix de 4,75 $.

À trois reprises, juste avant la pause publicitaire, Phil montra le livre, pendant que l'adresse où les gens pouvaient m'écrire apparaissait à l'écran. « C'est le chef par excellence! Et son livre est indispensable! » s'exclama-t-il avec enthousiasme.

Après l'émission, une productrice me dit, avant mon départ : « J'espère qu'il vous reste beaucoup de livres en réserve.

— Je pense bien, répondis-je d'un air maussade. J'en ai cinq mille exemplaires empilés dans mon sous-sol. »

Je n'oublierai jamais l'expression d'incrédulité qui traversa son regard. « Cinq mille? répéta-t-elle. Alors là vous êtes dans un vrai pétrin! »

Et c'était vrai. Les commandes se mirent à affluer — à un rythme effréné! À cette époque, les émissions souscrites étaient envoyées dans tout le pays, d'une station à l'autre. Il fallait environ neuf semaines pour qu'une émission de Phil Donahue soit diffusée par l'ensemble des stations participantes. Par conséquent, je dus faire imprimer de plus en plus de livres de recettes. Au bout des neuf semaines, j'en avais vendu 40 000 exemplaires.

Peu après, Frank Lieberman, de la station PBS de Chicago, me téléphona à Tacoma. « Allez, Smith, c'est fini les vacances, gronda-t-il en feignant l'agacement, nous savons que vous êtes guéri. Quand venez-vous entreprendre votre nouvelle série télévisée? »

J'étais impatient de reprendre mes activités. Non pas parce que je voulais désespérément contrôler chaque aspect de ma vie, mais parce que j'avais envie de travailler. Je comptais travailler dur, mais cette fois, mes efforts seraient inspirés par ma dévotion envers Dieu et non pas par le goût de me remettre dans le siège du pilote.

Car Dieu, dans sa miséricorde, m'avait vraiment montré qu'il pouvait répondre à mes besoins. Faites vous-mêmes le calcul : multipliez les 40 000 livres par 1,75 $ de profit, et quel est le total? *Soixante-dix mille dollars exactement.*

Et une généreuse portion de grâce.

— *Jeff Smith*

Au chapitre de l'amour, Mary Margaret Dereu était comblée. Pendant trente-quatre merveilleuses années, elle avait été mariée à son âme sœur, Eugene. Elle lui avait trouvé de nombreux diminutifs, mais le plus souvent, elle l'appelait son « prince ».

Puis, le 24 octobre 1995, Eugene mourut subitement pendant son sommeil. Mary en fut anéantie. Ils allaient fêter leur trente-cinquième anniversaire de mariage trois mois plus tard.

Les jours firent place aux semaines, puis aux mois, et à mesure que le temps passait, Mary se remettait lentement de sa peine. Mais à la Saint-Valentin de l'année qui suivit, l'absence d'Eugene la rendit inconsolable. Pour se changer les idées, elle prit la voiture et se rendit au centre-ville, dans l'intention de s'étourdir au milieu des couleurs et des bruits du marché local.

Une fois arrivée, Mary jeta un coup d'œil sur plusieurs étalages, mais rien ne capta son attention. Puis, soudainement, elle se sentit attirée par une rangée de bosquets de camélias alignés dans un coin du marché. Les fleurs étaient majestueuses, en pleine floraison, d'un blanc immaculé. Elles lui rappelaient celles qu'elle avait jadis choisies pour son mariage. Sans hésiter, elle acheta un arbrisseau.

De retour à la maison, Mary choisit un endroit spécial à côté de l'arbre d'ombrage préféré d'Eugene pour planter son nouvel arbrisseau. Tout en recouvrant de terre les racines, elle répétait : « Joyeuse Saint-Valentin, Eugene… Joyeuse Saint-Valentin, mon prince. »

Puis, au moment où elle s'appuyait sur une main pour se relever, elle aperçut une petite étiquette blanche attachée à la base de la plante. Elle aurait fort bien pu ne pas la voir.

« Ils doivent nommer ces plantes comme ils nomment les rosiers », pensa-t-elle. Elle retourna l'étiquette entre ses doigts maculés de boue. En lisant le nom qui y figurait, elle sentit une larme jaillir. Là, à l'encre noire, était inscrit le nom de cette fleur si blanche : Prince Eugene.

Peut-être s'agissait-il d'un baiser, envoyé par lui de l'au-delà.

Commentaire

Les fleurs sont souvent les messagères de nos émotions, de nos espoirs et de nos rêves. Grâce à elles, nous pouvons envoyer et recevoir, dans ce bas monde et au-delà.

*C*hris Graham* et Steve Ashton*, âgés respectivement de dix-neuf et de vingt ans, avaient quitté Manhattan à destination d'un parc situé à l'intérieur de l'État de New York, censé posséder des installations récréatives exceptionnelles et un grand lac majestueux. Ils devaient rencontrer des amis à un endroit précis non loin du lac à 13 h précises. Cette journée de promenades en bateau, de pêche, de baignade et autres divertissements les remplissait d'impatience.

Mais tout le long du trajet, sur l'autoroute de l'État de New York, une série inhabituelle de contretemps, d'obstacles et de problèmes avaient ralenti leur progression, et ils commençaient à croire qu'ils n'arriveraient jamais.

Tout d'abord, ce fut la crevaison. Ils s'arrêtèrent sur l'accotement de l'autoroute et changèrent le pneu en un rien de temps. « Ce n'est pas si mal, marmonna Chris, nous n'avons perdu que quinze minutes. On arrivera à l'heure quand même. »

Puis, après un bref arrêt dans une halte routière, le moteur refusa de démarrer lorsque Steve, qui était au volant, tourna la clé de contact. Plusieurs voyants lumineux rouges se mirent à clignoter en guise d'avertissement sur le tableau de bord, et Steve dit en soupirant : « J'ai bien peur que la batterie soit à plat. Il faudrait trouver quelqu'un qui possède des câbles de démarrage. Je n'en ai malheureusement pas. » Il fallut environ une demi-heure pour trouver cette personne.

Lorsque la batterie fut rechargée, ils s'engagèrent sur l'autoroute à toute vitesse pour rattraper le temps perdu. « Il n'y a jamais de policiers sur l'autoroute, dit Steve à Chris pour le rassurer, car ce dernier montrait des signes de nervosité. Ils sont tous occupés à surveiller la route 17. »

Ils furent sommés de s'arrêter par un shérif qui semblait ignorer cette règle.

Et il prit *beaucoup* de temps à rédiger la contravention.

« Nous sommes déjà une heure en retard! s'impatienta Chris. Les gars ne nous attendront jamais, et nous ne pourrons pas les retrouver. Le parc est énorme.

— Relaxe, dit Steve, essayant de calmer son ami. Nous ne sommes pas si loin. Selon les indications que Johnny m'a données, il faut quitter l'autoroute maintenant; je dois donc prendre la prochaine sortie. Il ne reste ensuite que de petites routes de campagne à parcourir. Peut-être aurons-nous plus de chance que sur l'autoroute. »

Mais juste comme ils s'engageaient dans la sortie, le moteur se mit à crachoter, puis ce fut la panne.

Les deux garçons échangèrent un regard.

« Qu'est-ce qu'il y a encore? » s'écria Chris.

« C'est pas vrai! » dit Steve en secouant la tête, incrédule.

La dépanneuse mit une heure à arriver.

« Tu me feras penser de téléphoner au service à la clientèle de la AAA demain pour que je leur dise ma façon de penser », dit Steve avec mauvaise humeur.

« C'est la courroie du ventilateur, dit le mécanicien du garage. Les réparations vont prendre au moins deux heures. »

« J'abandonne! lança Chris d'un ton aigu. Tu as déjà vu une malchance pareille? Lorsque la voiture sera réparée, on rentre à la maison.

— Je ne suis pas un lâcheur, dit Steve avec entêtement. Le parc n'est qu'à environ vingt minutes d'ici. Je ne veux pas rebrousser chemin si près du but. Nous y sommes presque. Rendons-nous au parc et voyons si nous pouvons trouver les copains. Il nous reste encore quelques heures avant le coucher du soleil. Je te parie qu'on va tout de même tomber sur les gars, tu vas voir », promit Steve d'un ton optimiste.

Mais lorsqu'ils arrivèrent au lieu du rendez-vous, près du lac, quatre heures en retard, l'endroit était désert.

« C'est pas possible une journée comme ça, dit Chris à son ami en grommelant. Nous avons fait tout ce chemin pour rien! »

« *À l'aide!* » fit soudain une voix enfantine.

« *Aidez-nous, je vous en prie!* » hurla une autre voix.

Pendant un moment, Chris et Steve demeurèrent immobiles, les yeux rivés sur deux petits garçons qui se débattaient dans les eaux du lac. Puis les deux amis — qui possédaient un brevet de sauveteur — se précipitèrent vers la rive et plongèrent. Ils ramenèrent les enfants et leur administrèrent la réanimation cardio-respiratoire, leur sauvant la vie.

Peu après, Steve, ébranlé, se tourna vers Chris et lui demanda d'une voix tremblante : « Comprends-tu ce qui vient de se produire ici, Chris?

— Oui, répondit ce dernier d'un air sombre. Certainement. Si nous n'étions pas arrivés dans le parc à l'heure précise où nous sommes arrivés, ces enfants seraient sûrement morts. »

Commentaire

C'est une erreur de croire que les « coïncidences » surviennent seulement pour *notre* propre bénéfice. Parfois, elles se présentent dans *nos* vies, mais pas nécessairement *pour nous* ou *à cause* de nous. Ce qui semble nous arriver à nous est en fait destiné à une autre personne. Ce n'est pas réellement *notre* scénario, même si nous y jouons un rôle majeur. Lorsqu'une coïncidence survient et qu'il nous est impossible de comprendre en quoi elle influe sur notre vie, nous devons nous demander : a-t-elle influé sur la vie d'une autre personne?

*J*e m'accorde rarement le luxe de prendre un taxi, mais en ce jour particulier de septembre 1997, je fus surprise par une averse de pluie torrentielle au beau milieu de Manhattan, alors que je me rendais à une importante entrevue dans l'espoir de décrocher un emploi. Comble de malheur, je n'avais ni parapluie ni imperméable. Je ne ferais pas très bonne impression, pensai-je avec mécontentement, si je me présentais avec un veston détrempé et les cheveux emmêlés et ruisselants de pluie. Des vêtements mouillés donnent toujours un air négligé, et c'est précisément ce que tout candidat à un emploi doit éviter comme la peste de nos jours. Je hélai donc un taxi et m'engouffrai à l'intérieur de la voiture.

C'est là que j'aperçus le bracelet. Le reflet de sa surface en plaqué or capta mon regard et je le soulevai du coin du siège avant où il reposait, à côté du chauffeur. Il était serti de diamants, et même si je ne suis ni connaisseuse ni experte en la matière, je savais qu'ils étaient vrais. Il s'agissait d'un bijou de prix, du genre que j'aurais toujours aimé pouvoir me procurer mais n'avais jamais espéré posséder. Un bijou complètement hors de ma portée, ou du moins pour la prochaine décennie, me dis-je en soupirant en pensant aux années de vaches maigres qui seraient mon lot jusqu'à ce que moi et mon jeune mari finissions par acquérir une certaine aisance financière.

J'examinai attentivement le bracelet et remarquai que le fermoir était brisé. « La passagère qui m'a précédée a dû le perdre en quittant le taxi, pensai-je. Elle ne s'est probablement aperçue de rien. »

« Hé, regardez ça!... », m'écriai-je avec agitation en m'adressant au chauffeur. Mais je me ravisai subitement au milieu de ma phrase.

« Qu'est-ce que vous dites? » demanda-t-il, en se retournant pour me regarder à travers la cloison pare-balles.

« Regardez comme il pleut! dis-je, dissimulant ma pensée. C'est incroyable! »

« Si je lui montre le bracelet, pensai-je, il va vouloir le garder pour lui. Pourquoi le mériterait-il plus que moi? Après tout, c'est moi qui l'ai trouvé! Sans compter que la réception de fiançailles du frère de Judy est prévue pour samedi prochain. Sa mère, toujours très chic, est chaque fois couverte de bijoux. Pour une fois, j'aimerais qu'elle voie que je peux moi aussi être parée avec la classe. Ce bracelet ne manquerait sûrement pas de l'impressionner. »

Je glissai donc le bijou dans ma poche sans en souffler mot au chauffeur de taxi.

Pour tout dire, mon geste ne suscita en moi aucun remords. Plus de sept millions de personnes vivent dans la région métropolitaine de New York, et au moins vingt mille taxis en sillonnent les rues. Vu cette situation, même si j'essayais de trouver la propriétaire de ce bijou, mes chances d'y arriver étaient bien minces.

Mais de retour à la maison, le sens de la justice de ma mère fut sérieusement mis à mal lorsque je lui fis le récit triomphant de ma trouvaille.

« Je suis bouleversée, dit-elle d'un ton glacial. Bouleversée et très déçue. Je croyais avoir inculqué à mes enfants un sens de l'honnêteté et de l'intégrité. Comment as-tu pu prendre ce bracelet?

— Si je l'avais donné au chauffeur, il l'aurait gardé pour lui, protestai-je. Qu'aurais-je dû faire?

— *Tu aurais dû* l'apporter à la compagnie de taxis à qui appartient le parc de voitures. Ou à la Commission des taxis et des limousines. Ils ont sûrement un service des objets trouvés. Non seulement *aurais-tu* dû procéder de cette façon, mais c'est exactement ce que tu *vas* faire, dit ma mère, dont le ton de voix avait atteint une froideur métallique. Et pas plus tard qu'*aujourd'hui*!

— Grands dieux, maman, répondis-je sur un ton de reproche, j'aurais vraiment voulu porter le bracelet à l'occasion de la réception de fiançailles du frère de Judy, samedi soir. Où est le mal si je le garde jusque-là?

— *Aujourd'hui* », ordonna ma mère.

Le samedi soir venu, je pénétrai avec émoi dans la salle de réception de Queens. « Tous les membres de la famille de Judy sont habillés avec tant de classe, pensai-je avec mauvaise humeur.

Si seulement j'avais ce bracelet en or serti de diamants, je me sentirais davantage à la hauteur. »

Puis, je me joignis à la rangée de personnes qui défilaient devant la famille pour offrir leurs vœux de bonheur. Lorsque j'arrivai devant Judy, son frère et la fiancée de ce dernier, Sandy, je les serrai dans mes bras et les embrassai. Toutefois, me sentant plus distante envers la mère de Judy, je mis en veilleuse mon style expansif habituel et lui tendis simplement la main. Royale, elle présenta gracieusement la sienne d'un geste aristocratique, et je la serrai avec fermeté.

C'est à ce moment que je l'ai vu. Le bracelet. À son menu poignet était accroché le même bracelet en or et en diamants que j'avais trouvé dans le taxi plus tôt cette semaine-là à Manhattan. Avais-je la berlue? Était-ce possible? Peut-être s'agissait-il d'une réplique? Peut-être le bijoutier en avait-il fabriqué des douzaines? Ce ne pouvait pas être le *même* bracelet que j'avais trouvé, n'est-ce pas? Ce n'était qu'une coïncidence, pas vrai?

Mais plus tard dans la soirée, lorsque je pris Judy à part et que je m'extasiai de manière fort convaincante à propos du « superbe bracelet que sa mère avait au poignet », elle me dit fièrement : « C'est un bijou unique. Un ami de ma mère, un célèbre bijoutier, l'avait conçu exclusivement pour elle. C'est la pièce qu'elle préfère. Plus tôt cette semaine, elle l'a perdue dans un taxi, et elle en était complètement anéantie. Elle croyait qu'elle ne la retrouverait jamais. Dieu merci, un honnête citoyen l'a trouvé et rapporté à la Commission des taxis et des limousines. Elle était si soulagée. Tu ne peux pas savoir à quel point elle aurait été déçue de ne pas pouvoir le porter ce soir. »

— *Sally Larson**

Commentaire

Il est futile de tenter de cacher la vérité, car celle-ci, comme de l'huile versée dans de l'eau, remonte toujours à la surface.

*L*orsque la sonnerie du téléphone retentit et que Debby décrocha le combiné, elle ne s'attendait à rien d'exceptionnel. Mais lorsqu'elle entendit la voix à l'autre bout du fil, son sang se glaça. C'était l'hôpital, et elle sentit qu'on allait lui annoncer le genre de nouvelle qui constitue le pire cauchemar de toutes les mères.

« Votre fils a été victime d'un accident de la route — venez aussi vite que possible », dit le responsable, avant de décrire les horribles circonstances entourant l'accident.

Même si elle pouvait à peine parler, Debby réussit à dire : « Je serai là dans quinze minutes. »

« Faites vite » fut la sinistre réponse. « Venez plus vite si vous le pouvez. »

Debby raccrocha le récepteur et se précipita vers sa voiture. Morte d'inquiétude, elle se rendit à l'hôpital, en essayant d'éviter d'imaginer le pire. Mais lorsqu'elle arriva, elle trouva son fils bien-aimé de seize ans, Dan, dans un état critique et à l'article de la mort. En fait, son état correspondait à un 6 à l'échelle traumatologique, niveau à partir duquel l'hôpital doit faire venir un coroner.

Elle voulait le prendre dans ses bras, mais elle ne pouvait pas car il y avait des tubes partout. Se penchant vers son fils, elle lui dit d'une voix étouffée : « Dan, Dan, m'entends-tu? »

Le médecin s'approcha d'elle. « Votre fils est dans le coma, lui annonça-t-il doucement. Il ne peut pas vous entendre. »

Debby était dans tous ses états. Réalisant soudain la gravité de la situation, elle se mit à sangloter. Peu de temps auparavant, son mari était décédé, et maintenant l'idée de perdre son fils unique lui était insupportable. « Ce n'est pas vrai », se dit-elle en pleurant.

Mais c'était bien vrai, et les choses ne firent qu'empirer. Pendant les quelques heures qui suivirent, Dan demeura étendu, parfaitement immobile, les yeux fermés, à l'opposé du garçon rieur qu'il avait toujours été. De surcroît, les médecins ne pouvaient offrir aucun diagnostic pouvant apaiser les craintes de Debby. « Il est encore trop tôt pour se prononcer » était la seule réponse qu'ils pouvaient lui donner.

Puis les heures se succédèrent, interminables. Elles firent bientôt place aux jours, puis aux semaines. Mais Dan ne sortait pas du coma. Sept semaines plus tard, lorsqu'il fut stabilisé, on le transporta dans un hôpital de réadaptation.

Pendant ce temps, Debby vivait en quelque sorte dans un état de transe. Lorsqu'elle ne travaillait pas, elle allait à l'hôpital au chevet de son fils. Souvent, elle lui faisait la lecture, dans l'espoir que le son de sa voix se rende jusqu'à lui, d'une façon ou d'une autre. Elle demeurait aux aguets et surveillait tout signe de vie, mais n'obtenait pour toute réaction que la respiration lente et régulière de son fils.

Un jeudi soir qu'elle était assise près de Dan, juste avant neuf heures, Debby eut une idée. Au moment où elle refermait son livre, elle se rappela que c'était l'heure de l'émission télévisée *Seinfeld*. Pendant des années, *Seinfeld* avait été pour la famille de Debby une occasion de se réunir et de rire tous ensemble. Le souvenir de ces soirées réchauffa le cœur de Debby, ce qu'elle n'avait pas ressenti depuis des semaines. Même s'il lui fallait nourrir la chienne et qu'elle avait besoin de sommeil, elle décida ce soir-là de regarder l'émission au lieu de retourner à la maison. « Cela va me faire du bien de regarder *Seinfeld*, pensa-t-elle, et ce sera une bonne chose pour Dan aussi — après tout, c'est son émission préférée. »

Pendant que se déroulait le générique d'ouverture, Debby se cala dans sa chaise. L'indicatif musical bien connu la réconforta, puis l'émission commença. Lorsqu'elle se retourna pour s'installer plus confortablement, elle jeta un coup d'œil à Dan et remarqua l'expression de son visage. Ses yeux étaient tout grand ouverts. « Oh, mon Dieu! » s'écria Debby. Stupéfaite, elle bondit de sa chaise, croyant que le volume était peut-être trop élevé. Mais les yeux de son fils demeuraient ouverts, laissant pantoise l'infirmière qui vint dans la chambre afin de remplacer le soluté. À la fin de l'émission, Dan n'avait toujours rien dit, et l'heure était venue pour Debby de partir. « Mon chéri, dit-elle en se penchant vers lui pour lui souhaiter une bonne nuit, je rentre à la maison. Il faut que je nourrisse la chienne, qui n'est pas sortie de la journée. » Elle était en train de se préparer à partir lorsque Dan se mit soudain à battre des paupières. « Où suis-je? » parvint-il à articuler. Il était enfin sorti du coma.

Debby comprit soudainement ce qui s'était produit. Il venait de regarder son émission préférée, et les voix familières de même que la musique qu'il connaissait si bien l'avaient rejoint.

Mais il y a un aspect ironique à cette histoire. Incroyablement, *Seinfeld* portait ce soir-là sur une histoire de coma, à la grande surprise de Debby. L'intrigue était centrée sur Kramer, qui avait loué une bande vidéo racontant l'histoire d'une femme ayant sombré dans le coma à la suite d'un accident. Qui aurait pu croire que le fait de regarder la télévision ce soir-là aurait permis de rejoindre l'esprit assoupi de Dan et de le faire revenir à la vie et au plaisir de rire?

*A*yant invité deux couples à dîner, j'avais préparé des petits pains à la levure le matin et les avais mis de côté pour laisser lever la pâte. Après avoir épousseté, je pétris de nouveau la pâte et la laissai lever encore une fois.

Les petits pains n'étaient pas sitôt dans le four que deux livreurs se présentèrent avec ma nouvelle bibliothèque. Avec patience, ils déplacèrent le meuble après que j'aie constaté que le premier emplacement choisi ne me convenait pas.

J'étais à raccompagner les livreurs vers la sortie et en les remerciant lorsque je pensai soudain à mes petits pains.

« Attendez-moi un moment, dis-je. Vous avez travaillé si fort, je tiens à vous donner quelque chose. » Je couvris les pains avec du papier ciré et les leur tendis : « Vous pourrez les manger avec votre goûter. »

Je préparai ensuite d'autres petits pains. Lorsque je les pétris pour les faire lever une deuxième fois, ils avaient l'air tout aussi réussis que la première fournée. Puis on sonna de nouveau à la porte. C'était mon décorateur, qui venait installer ma galerie de fenêtre garnie de lambrequin. Une fois le travail accompli, je fus ravie de constater que le lambrequin était très joliment assorti à ma nouvelle bibliothèque.

Puis le décorateur demanda : « Cette odeur, c'est du pain qui cuit? » En lui tendant un paquet recouvert de papier ciré en souriant, je me dis : « Il me reste amplement de temps pour préparer une troisième fournée. »

Vers les quatre heures de l'après-midi, une voiture se gara dans mon entrée, et une amie fit irruption dans la cuisine.

« J'ai acheté ces tomates à prix réduit et je me suis dit que tu aimerais les servir à tes invités ce soir », dit-elle.

Puis elle respira l'odeur des petits pains que je venais de sortir du four. « Oh, mon mari jure que tes petits pains sont les meilleurs au monde! »

Prenant le papier ciré encore une fois, je dis : « Tu les lui donneras.

— Mais ne les avais-tu pas faits pour tes invités? demanda-t-elle.

— Ne t'en fais pas pour ça », la rassurai-je.

Après son départ, je me dis : « De toute façon, les tomates sont meilleures pour la santé que de la pâtisserie. » Il était trop tard pour préparer une autre fournée de toute façon.

Lorsque mes invités arrivèrent, Marge, la première à se présenter dans l'entrée, s'écria : « J'ai une surprise pour toi! »

Elle me tendit un pain encore chaud à peine sorti du four, dont l'odeur embaumait déjà la pièce.

Un jour, j'apprendrai. Il est tout simplement impossible de donner davantage que Dieu.

—Faye Field

*L*es étudiants de l'un des séminaires de théologie rabbinique les plus exigeants et les plus renommés d'Israël menaient une vie austère de spartiates. Ils se levaient à six heures pour la prière du matin, puis s'astreignaient pendant le reste de la journée, soit dix-huit heures, à l'étude rigoureuse du Talmud. À part les repas, leur seule véritable pause avait lieu à la fin de l'après-midi, où on leur accordait du temps libre pour qu'ils puissent s'adonner aux activités quotidiennes qui sont celles de jeunes hommes vivant séparés de leur famille pour la première fois de leur vie.

À l'occasion de l'une de ces pauses, une foule d'étudiants s'étaient rendus à l'extérieur des murs du séminaire afin de profiter de cette belle journée d'automne. L'air était frais et vivifiant, et à la suite de l'été chaud et humide qu'ils venaient de passer à marcher sur des trottoirs fumants et à subir des températures torrides, ils accueillaient avec joie la fraîcheur tonifiante qui emplissait l'air. Ils étaient détendus et conversaient amicalement, discutant des questions étudiées cette journée-là (certains passages complexes du Talmud qui en avaient déconcerté plus d'un). Certains d'entre eux avaient subrepticement allumé une cigarette. L'atmosphère était calme et agréable. Absorbés dans la conversation et baignés par l'atmosphère de franche camaraderie qui régnait, peu d'entre eux remarquèrent ce qui était en train de se dérouler dans la rue.

Toutefois, l'attention d'un jeune homme à la vue perçante fut attirée par une petite forme qui grandissait à l'horizon. Se crispant, il fit signe à ses amis.

« Regardez ça! » dit-il, agitant le doigt vers la forme qui avançait rapidement en direction de la rue où ils se tenaient.

« Comme c'est triste! » murmurèrent plusieurs de ses camarades, pétrifiés, en considérant la scène et en songeant à sa signification.

Un fourgon mortuaire solitaire, que n'accompagnait pas l'habituel long cortège de personnes endeuillées, sans aucun entourage ni aucune escorte, roulait lentement le long de la rue.

Les jeunes hommes restaient cloués sur place, frappés par l'impression de solitude qui se dégageait de ce corbillard esseulé; la scène suscitait en eux un profond sentiment de douleur. Comment pouvait-on aller vers son dernier repos dans un isolement si complet? Où étaient les membres de la famille, les voisins, les amis? Était-il possible que le défunt ou la défunte eût vécu une existence si détachée et si éloignée de la collectivité que personne ne savait qu'il ou elle était disparu, ou ne s'en souciait?

Ils serrèrent les rangs en silence, accablés à la vue de cette scène morne et triste. Leur expérience de la communauté juive en était une d'amitié, de solidarité, d'unité et de soutien. Jamais auparavant ils n'avaient été témoins d'une démonstration aussi crue de la solitude dans laquelle certaines personnes pouvaient y vivre.

« C'est tout simplement pathétique, dit tout bas un jeune homme.

— C'est terrible d'être enterré dans ces circonstances, ajouta un deuxième.

— Il faut faire quelque chose, insista un troisième.

— Il faut faire ce qui de toute évidence doit être fait, affirma un quatrième. Suivons le corbillard jusqu'au cimetière et participons à la cérémonie d'enterrement.

— Mais pas seulement *nous*, exhorta un autre étudiant. Retournons au séminaire et demandons à *tous* les gars de venir! »

Ce qu'ils firent.

Le corbillard fut bientôt escorté d'un long et impressionnant cortège de centaines d'étudiants, qui le suivirent jusqu'au cimetière juif situé en périphérie de la ville. Ce n'est que lorsqu'ils arrivèrent à l'emplacement de la tombe et qu'un rabbin émergea du fourgon mortuaire — il en était le seul occupant — qu'ils apprirent l'identité de la personne disparue.

« Eh bien, voilà qui est très à propos! » s'exclama le rabbin après leur avoir demandé qui ils étaient et de quel yeshiva (séminaire) ils provenaient. « Comment avez-vous appris son décès? Personne ne savait qu'elle était encore de ce monde! Elle était si excentrique et elle a vécu comme une ermite pendant les cinquante dernières années, repoussant tous les efforts qui ont été faits pour lui venir en aide. Je suis surpris de constater que quiconque soit même au courant de son décès… »

Les jeunes hommes regardèrent le rabbin d'un air étrange, troublés par ses paroles. « Excusez-moi, rabbin, dit doucement l'un d'entre eux, mais nous ne connaissons pas la défunte. Nous ne savons pas de qui vous parlez. »

C'était au tour du rabbin d'afficher une mine déconfite. « Vous assistez aux funérailles d'une personne que vous ne connaissez même pas? demanda-t-il, consterné. Mais alors comment se fait-il que vous soyez ici et pourquoi êtes-vous venus? »

Les jeunes hommes expliquèrent la tristesse qu'ils avaient ressentie à la vue du corbillard solitaire et comment ils avaient décidé d'escorter la dépouille funèbre. Ils précisèrent qu'ils avaient voulu faire une *mitzvah* ou bonne action, avec des intentions pures et sans rien attendre en retour.

Après avoir écouté les explications sincères des jeunes hommes, le rabbin se mit à pleurer.

« Mes chers amis, dit-il doucement, il était clairement écrit que vous deviez être ici. Il y a soixante-dix ans, un riche homme d'affaires juif a fait don de biens immobiliers d'une grande valeur à la communauté juive dans le but d'aménager un séminaire rabbinique. *Votre* séminaire rabbinique.

« En plus du don initial du terrain et du bâtiment, l'homme d'affaires a continué pendant toute sa vie à soutenir le séminaire en lui versant de généreuses sommes d'argent qui l'ont aidé à croître et à devenir l'un des plus prestigieux établissements du genre.

« Lorsque le généreux donateur a commencé à se faire vieux, le yeshiva a voulu l'honorer et le récompenser en reconnaissance de son aide philanthropique exceptionnelle, mais c'était un homme humble et il refusa d'accepter quoi que ce soit.

« Il n'avait qu'un enfant — une fille — qu'il aimait énormément. Lorsque les rabbins allaient le voir et lui demandaient : "Comment pouvons-nous vous exprimer notre gratitude pour vos incroyables dons de charité?", il souriait avec bonhomie et disait : "Dieu merci, je suis une homme riche et heureux, et je n'ai besoin de rien. Mais peut-être un jour pourrez-vous venir en aide à ma fille bien-aimée. Peut-être aura-t-elle besoin de vous un jour".

« Les rabbins promirent solennellement au philanthrope que le yeshiva n'abandonnerait pas sa fille.

« Au terme d'une longue et fructueuse existence, il mourut, et, tristement, sa fille abandonna les traditions religieuses de sa jeunesse et coupa les ponts avec la communauté juive. Pendant toute sa vie, elle fit de fréquents séjours dans des institutions psychiatriques.

« Les rabbins qui se souvenaient de la promesse qu'ils avaient faite à son père tentèrent avec assiduité de maintenir des liens avec elle et de lui offrir leur soutien. Mais elle refusa leur aide. Personnage excentrique, elle vécut comme une ermite. Bientôt, les rabbins qui avaient originellement fait la promesse à l'homme d'affaires moururent, et leur engagement tomba dans l'oubli. La fille fut abandonnée et mena l'étrange et triste existence d'une recluse.

« Mais, mes amis, c'est à *ses* funérailles que vous avez assisté par hasard aujourd'hui, les funérailles de la fille du généreux donateur qui a permis à votre yeshiva d'exister. Par votre présence ici aujourd'hui, vous avez à la fois tenu la promesse de vos rabbins et remboursé les largesses de votre bienfaiteur, une fois pour toutes. »

Plus tard, les étudiants apprirent que le corbillard n'était pas censé passer par la petite rue obscure où ils se tenaient, qui se trouvait à plusieurs rues de l'artère principale.

Le conducteur s'était perdu et avait emprunté ce chemin par erreur.

*P*endant les quarante années qu'avait duré son mariage, Kelly O'Brien* avait été une épouse patiente et indulgente. Son mari, Chris, était l'essence même de la personnalité de « type A » : un homme agressif et volontaire, véritable bourreau de travail dont l'ambition et l'énergie l'avaient propulsé au sommet de son domaine. Kelly, femme douce au tempérament conciliant et aux modestes aspirations, était discrètement demeurée dans l'ombre pendant que Chris poursuivait et réalisait ses rêves avec détermination.

Elle avait été si patiente. Il lui semblait qu'elle avait toujours attendu Chris : elle l'avait attendu à d'innombrables reprises et gardé son repas au chaud les soirs où il était rentré tard, longtemps passé l'heure où il aurait normalement dû être à la maison. Elle l'avait attendu devant des théâtres de Broadway et des restaurants élégants, regardant tristement sa montre pendant que les heures passaient, sans que Chris se présente. Et elle avait attendu les vacances promises, qu'elle planifiait avec enthousiasme, toujours en vain. En effet, à la dernière minute, Chris annulait immanquablement, prétextant une « situation de crise au travail », un « problème imprévu » ou une « occasion à ne pas laisser passer » qu'il devait « saisir immédiatement ».

« Quand allons-nous enfin vivre? demandait Kelly sur un ton de tendre réprimande.

— Quand je prendrai ma retraite, répondait Chris avec solennité. Et je te *promets* que je demanderai une retraite anticipée ».

Kelly attendit donc que commence enfin sa vie avec Chris. « Encore six mois, se disait-elle tout bas, avant qu'il ait soixante-deux ans et qu'il prenne sa retraite. Et après… nous allons vraiment profiter de la vie! » Elle commença à appeler des agences de tourisme, collectionnant avidement les brochures et les guides de voyage, et laissant vagabonder son imagination vers des contrées qu'elle avait évitées jusque-là.

Mais l'existence libre et idyllique à laquelle Kelly aspirait ne devait pas se matérialiser.

Chris arriva un jour à la maison en affichant une expression qui trahissait à la fois la culpabilité et une excitation mal dissimulée. « L'entreprise ouvre une nouvelle succursale à Houston, annonça-t-il, et ils veulent que j'en sois le directeur. Ils vont assumer tous les frais de réinstallation et doubler mon salaire. Qu'en penses-tu ? » Il regardait sa femme d'un air suppliant.

« Chris... tu m'avais promis que tu prendrais une retraite anticipée, s'exclama-t-elle, surprise par la tournure soudaine des événements.

— Grands dieux, Kelly, je ne peux pas prendre ma retraite ! J'adore mon travail. Je ne me vois pas en train de jouer au golf ou au bridge ou même à faire du tourisme. Ce n'était pas réaliste de ma part de te promettre que j'allais prendre ma retraite avant mon temps. Je vais devenir fou ! »

Kelly vit ses rêves se dissoudre dans le tourbillon du dynamisme de son mari, une énergie si intense qu'elle l'entraînait immanquablement dans son puissant sillage. Avec Chris, elle pouvait faire les choses à contrecœur, mais jamais refuser de céder. Une fois de plus, elle allait devoir sacrifier ses propres besoins sur l'autel des ambitions de son mari.

« Mais... Houston, protesta-t-elle faiblement, tous mes amis sont *ici*. La seule personne que je connaisse à Houston est ta cousine germaine Katherine, à qui je n'ai pas parlé depuis des lustres. Et puis je suis trop vieille pour recommencer à zéro.

— Chérie, considère ça comme une aventure, lança-t-il, enjôleur. Et je vais faire de mon mieux afin que nous obtenions un appartement tout près de chez Katherine, pour que tu te sentes moins seule. »

Mais l'appartement qu'il finit par trouver était situé à l'autre bout de la ville.

« Je suis vraiment désolé, chérie, s'excusa-t-il, embarrassé par son incapacité à tenir ne serait-ce qu'une seule promesse, mais apparemment, tous les complexes résidentiels sont concentrés dans une nouvelle section de la ville. Dans le quartier où vit Katherine, on ne trouve que de grosses maisons à vendre, et aucun appartement à louer. Et je sais que tu n'as pas envie de t'astreindre à l'entretien d'une maison, avec tout le travail et les soucis que cela comporte.

« De toute façon, poursuivit-il avec plus d'assurance, tu vas adorer ce complexe résidentiel. Il y a une piscine et un établissement thermal, et on y donne toutes sortes de cours. Je suis sûr que tu vas tout de suite pouvoir rencontrer des tas de nouvelles personnes! »

Mais il n'en fut rien. La plupart des résidents du complexe résidentiel étaient des yuppies dans la trentaine ou la quarantaine, qui passaient toutes leurs journées au travail. Kelly se sentait seule et isolée. Elle avait téléphoné à quelques reprises à Katherine, la cousine de Chris, mais elles n'avaient pas pu se rencontrer. « On se verra bientôt », avait vaguement promis Katherine, ce qui ne fit qu'accentuer l'angoisse de Kelly. En effet, il semblait que les promesses qu'on lui avait faites récemment s'étaient toutes avérées fausses et ne s'étaient pas concrétisées.

Elle pensa avec tristesse : « Quand Chris va-t-il enfin tenir une seule de ses promesses? Va-t-il un jour daigner tenir compte de *mes* besoins? »

Elle remuait constamment ces pensées dans sa tête, malgré tous ses efforts pour les chasser de son esprit.

« Je suis en train de devenir une vieille chipie pleine de caprices! se reprocha-t-elle un jour. Je ferais mieux d'accomplir quelque chose de constructif pour cesser de penser à mes problèmes. Je sais ce que je vais faire! pensa-t-elle, se déridant quelque peu. Je vais lui préparer un gâteau d'anniversaire pour ce soir et nous allons célébrer ensemble. Cela fait des années que je n'en ai pas fait. Ce sera toute une surprise! »

Pendant toute la journée, Kelly s'affaira joyeusement dans sa cuisine, mélangeant, brassant et fouettant divers ingrédients jusqu'à ce que, fière d'elle-même, elle ait confectionné un superbe gâteau qui satisfaisait à ses propres standards — très élevés — de qualité. « Chris va adorer, pensa-t-elle. Il sera si surpris d'avoir un gâteau. »

Comme elle avait préparé cette surprise avec l'enthousiasme d'une petite fille, elle ne put s'empêcher d'être déçue lorsque Chris rentra du travail le soir même en transportant une grosse boîte contenant... un gâteau d'anniversaire!

« Qui te l'as offert? » demanda-t-elle, découragée de constater qu'on avait gâché sa surprise.

« Oh, les gars au bureau ont cru que je me sentirais seul de célébrer mon anniversaire dans une nouvelle ville. Ils ont donc organisé une collecte pour acheter ce gâteau. C'est gentil, non?

— Eh bien, devine quoi? dit-elle joyeusement, en essayant de cacher son chagrin, tu en as *deux* maintenant! » Et elle lui montra son fameux gâteau « délice hawaïen » qui avait été son dessert favori bien des années auparavant, puis le déposa devant lui.

« Mmmm! susurra-t-il, les yeux pleins de convoitise. Mon gâteau préféré! Je me rappelle à quel point il est difficile à préparer. Tu as dû y mettre des heures. C'est vraiment un délice! Comment peut-on comparer un gâteau acheté dans une pâtisserie et un autre fait à la maison, en particulier si c'est par toi! » Puis il ajouta, en lui lançant un regard prévenant : « Je te promets que pour *ton anniversaire*, dans quelques mois, tu auras toi aussi *deux* gâteaux! »

Puis ils se mirent à rigoler et à bavarder comme deux adolescents. « Peut-être n'est-ce pas la nouvelle vie que j'avais envisagée, se dit-elle, pensive, mais peut-être que les choses n'iront pas si mal après tout. Ce n'est pas si difficile de vivre dans une ville étrangère lorsque l'homme qu'on aime est à nos côtés. »

Cette nuit-là, Chris se réveilla avec une intense douleur à la poitrine et appela Kelly. Avant même qu'elle ne puisse se rendre jusqu'au téléphone et appeler la police, un bruit étouffé de suffocation s'échappa de la gorge de son mari, qui mourut aussitôt. Chris n'était plus.

« Reviens à New York! insistèrent ses amis et les membres de sa famille après les funérailles. Il n'y a rien qui te retienne dans cette ville. » Mais elle était trop déprimée et trop paralysée par le choc pour bouger. Elle n'avait ni l'énergie ni la volonté qu'il fallait pour faire les appels et prendre les dispositions nécessaires à son retour. La seule pensée de téléphoner à la compagnie d'électricité pour faire annuler le service lui donnait le vertige. « Je vais revenir, promit-elle, mais présentement j'en suis incapable. J'ai trop de choses à régler. »

Mais Kelly n'arrivait même pas à rassembler suffisamment d'énergie pour effectuer une seule corvée. « Demain, je vais sortir du lit…, se promettait-elle. Il fait trop chaud à l'extérieur pour faire quoi que ce soit de toute façon. »

« Demain » se transforma en une interminable série de hier, et pendant ce temps, Kelly sombrait de plus en plus profondément dans la dépression. Elle se sentait abandonnée et seule, et son sentiment d'isolement ne fit que s'accentuer le jour de son soixantième anniversaire, qu'elle allait passer… seule.

Vêtue de sa robe de chambre en tissu éponge, Kelly était assise à la table de cuisine et sirotait une tasse de café lorsque la sonnette retentit. Sur le seuil se tenait Katherine, la cousine de Chris, une grosse boîte dans les mains.

« Ouvre-la! » insista-t-elle.

À l'intérieur se trouvait un gâteau d'anniversaire fait à la maison.

« M-mais comment savais-tu? demanda Kelly, estomaquée.

— Kelly, je te jure, j'ai eu un rêve des plus étranges la nuit dernière. Chris est venu à moi et m'a dit : "Demain, c'est l'anniversaire de Kelly. Je veux que tu lui prépares un gâteau." Et qui suis-je pour discuter les ordres de Chris? plaisanta-t-elle. Alors… joyeux anniversaire! »

Quelques minutes plus tard, on sonna de nouveau à la porte. Une étrangère se tenait à l'extérieur, avec elle aussi une boîte dans les mains.

« Mme O'Brien? s'enquit la vieille dame avec gentillesse. Je suis votre voisine d'à côté, Mme Thomas. Puis-je entrer un instant? Je me sens si mal à l'aise d'avoir laissé passer tout ce temps sans venir me présenter. Je vous demande d'excuser mes terribles manières, mais au moment où vous avez déménagé ici, je venais de me faire opérer et je ne me sentais pas très bien. Puis j'ai entendu dire que votre mari était décédé — j'en suis sincèrement désolée — et je ne voulais pas troubler votre intimité et votre deuil... Puis, aujourd'hui, je suis allée à la pâtisserie et j'ai remarqué un gâteau dans la vitrine qui portait l'inscription : Joyeux anniversaire! Je sais que ce que je vais vous dire pourra vous sembler fantasque, mais j'ai eu l'impression que le gâteau me faisait signe. Ensuite, défiant toute raison et toute logique, une voix s'est élevée à l'intérieur de moi et m'a dit : "Allez porter ce gâteau à Mme O'Brien." Vous savez, j'ai vécu suffisamment d'années pour savoir qu'il faut toujours obéir à sa voix intérieure. J'espère que vous ne serez pas froissée par les actions d'une vieille femme ridicule... Mais dites-moi, est-ce bien votre anniversaire aujourd'hui? »

Commentaire

Un cœur patient constitue un terrain fertile pour les plus beaux miracles de la vie.

L orsque mon premier enfant est né, je vivais à Newton, au Massachusetts, et j'y connaissais très peu de gens. Je n'avais pas de voiture, et le peu d'amies mariées que je m'étais faites dans le quartier n'avaient pas encore fondé de famille. Par conséquent, elles n'étaient pas accaparées par la vie familiale comme j'ai commencé à l'être dès la naissance de mon bébé.

Avant mon mariage, j'avais d'abord travaillé à titre de professeur puis plus tard de journaliste au *Boston Traveler*. Mais nous étions en 1947, et à cette époque c'était l'usage, et même la règle, que les femmes demeurent au foyer à s'occuper de leurs enfants. Je me trouvai donc confinée à la maison pendant pratiquement toute la journée, ce qui me fit me sentir très seule. En vérité, je m'ennuyais ferme. Mon bébé était mon seul compagnon et l'isolement dans lequel je vivais me pesait énormément.

À la naissance de mon deuxième enfant, trois ans plus tard, je décidai de mener une vie différente. Je tenais désespérément à ajouter une dimension nouvelle à mon existence terriblement solitaire. J'ai donc engagé une jeune femme qui devait venir tous les jours à la maison, et je lui enseignai comment prendre soin du bébé et de mon aîné en mon absence. Elle était très compétente et j'étais satisfaite d'avoir préparé le terrain afin de pouvoir avoir une autre vie, séparée de mon rôle d'épouse et de mère. Il n'y avait qu'un petit problème : je n'avais aucune idée de ce que pourrait ou allait être cette « autre vie ». Maintenant que tous les éléments étaient en place, je ne savais toujours absolument pas ce que j'allais faire! J'étais prête à une activité et à un engagement, mais je ne savais pas de quelle nature. Néanmoins, je débordais de désir et d'espoir. J'attendais avec une exaltation croissante que ma destinée se réalise.

Un jour, le téléphone sonna, et j'entendis la voix d'une jeune femme me dire : « Bonjour, je vous appelle pour vous inviter à vous joindre au Hadassah. »

J'avais lu auparavant sur les tentatives de mise sur pied d'un État sioniste, qui n'était pas encore l'État d'Israël, et j'appuyais fermement cette cause. Alors, immédiatement et sans hésitation, j'ai répondu : « J'accepte avec plaisir ! »

Ma jeune interlocutrice dut être très surprise de mon enthousiasme car elle ajouta sans attendre : « Et aimeriez-vous également faire partie de notre comité de recrutement ? » (J'imagine qu'elle voulait vraiment s'assurer que je participe activement aux activités du groupe !) Encore une fois, je répondis par l'affirmative sans aucune réserve.

La décision de joindre les rangs du Hadassah fut vraiment la bonne. Je pus ainsi rencontrer des gens, tout en apportant mon aide à un projet qui, je l'espérais, allait mener à la création d'un État sioniste. « C'est la réponse à mes prières », pensai-je avec bonheur.

Lorsque j'acceptai sa proposition, la femme à l'autre bout du fil sembla enchantée. Puis elle me dit : « Laissez-moi vérifier si j'ai bien orthographié votre nom et si j'ai la bonne adresse. » Elle épela ensuite un nom qui ne ressemblait en rien au mien, même de loin. Il s'agissait d'un nom complètement différent.

Puis nous comprîmes toutes deux ce qui s'était produit. La femme avait composé le mauvais numéro et m'avait jointe par erreur !

Après avoir ri avec moi de ce malentendu, elle me demanda si je voulais toujours faire partie du groupe, et je lui répondis bien sûr que oui, ajoutant que j'étais très contente que cette erreur se soit produite. Je lui transmis les renseignements dont elle avait besoin, et elle promit de me rappeler lorsqu'elle connaîtrait la date de la prochaine réunion.

Lors de cette première réunion, qui se tenait au temple Emanuel, au Newton Center, je rencontrai de charmantes femmes de mon âge qui étaient très chaleureuses et très accueillantes. Je m'assis à côté d'une jolie jeune femme blonde nommée Gilda, que j'aurais eu de la difficulté à ne pas remarquer. Elle était extrêmement amicale, et engagea immédiatement la conversation avec moi. Cet échange fut le point de départ d'une amitié qui dure maintenant depuis quarante-sept ans. Elle est devenue ma meilleure amie, et je suis plus proche d'elle que d'une sœur. Il existe entre nous une profonde affection, qui durera tant que nous vivrons.

En plus de m'avoir procuré cette extraordinaire amitié, ma participation au Hadassah contribua à m'intégrer à ma communauté. J'ose à peine penser à ce qui serait advenu de ma vie si cette jeune femme n'avait pas composé mon numéro par erreur. Mais qui sait?

Peut-être ne s'agissait-il pas du tout d'une erreur.

— Sybil Gladstone

Commentaire
Plus nous sommes prêts à prendre des risques, plus nous sommes susceptibles de recevoir la grâce.

*C'*était comme si la fête du Travail et la fête des Mères avaient eu lieu la même journée : trois sœurs, Mary Luca, Catherine Naughton et Toni Higgins, donnèrent naissance à trois superbes bébés à quelques heures seulement d'intervalle à l'hôpital méthodiste, à Brooklyn.

Ces étonnantes naissances marquaient la première fois aux États-Unis que trois sœurs accouchaient le même jour.

Et, pour bien faire, les obstétriciens qui procédèrent aux trois accouchements étaient frères : les docteurs Santo et Gary Fiasconaro.

Le premier des trois cousins, Daniel Vincent, pesait 3,28 kilos et naquit vendredi matin par césarienne. Ses parents sont Mary Luca, 32 ans, et son époux Erik, charpentier de son métier.

La sœur de Mary, Catherine Naughton, 31 ans, donna naissance plus tard ce matin-là à Kevin Patrick, pesant 2,77 kilos. L'accouchement nécessita également une césarienne.

« Le bébé est superbe. C'est incroyable d'assister à la naissance d'un enfant, dit Kevin, le père. Et quelle coïncidence que tous les trois soient arrivés en même temps. »

La troisième sœur, Toni Higgins, devint quant à elle l'heureuse mère d'une fille de 3,08 kilos, Tyler, vendredi soir, complétant le triplé. Brian est son mari.

Les trois sœurs affirment avoir conçu leur enfant par les méthodes naturelles neuf mois auparavant.

« Je ne sais pas trop comment cela a pu se produire, dit Mme Naughton. Je ne crois pas qu'il aurait été possible de planifier un événement comme celui-là. »

Les trois sœurs avaient assisté à la première communion d'une nièce, le 4 mai 1996.

« Nous étions toutes trois à la première communion de la fille de Mary… et trois semaines plus tard, nous nous sommes aperçues que nous étions enceintes. Nous avons dû manger ou boire quelque chose de spécial! » dit Mme Higgins.

Il s'agit du troisième enfant pour Mme Luca, qui n'avait pas planifié cette naissance.

« Je n'en revenais pas. Je ne m'y attendais absolument pas. »

Et comment se porte la petite famille au lendemain des naissances?

« Nous sommes tous fatigués, et les médecins on également l'air un peu éreintés, dit Kevin Naughton. En plus, ma belle-mère a fort à faire, avec ses trois filles à l'hôpital et trois nouveau-nés de plus dans la famille. »

Une recherche informatique a révélé que le record précédent en ce qui a trait aux naissances survenues le même jour était détenu par deux sœurs de Chicago, et remonte à 1995.

— Roger Field

Commentaire

Parfois, des choses ordinaires revêtent un caractère extraordinaire seulement en raison du moment où elles se produisent.

*L*e 30 mai 1983 était une journée magnifique et Sherry Vyverberg était d'humeur radieuse. Elle venait de terminer ses examens, enfin arrivée au terme de sa première année au collège communautaire Monroe. Grande fille aux yeux bleus et aux longs cheveux blonds, Sherry s'était levée de bon matin et avait pris l'autoroute pour aller chercher son petit ami Keith Gandy de même que leurs copains Greg Grant et Mike Jerocki. Ils avaient tous hâte de passer ensemble le week-end du jour du Souvenir aux chutes du Niagara, qui se trouvaient à une heure en voiture de la ville où ils habitaient, Rochester, dans l'État de New York.

Après s'être arrêtés du côté canadien des chutes pour prendre le petit déjeuner, les quatre jeunes amis empruntèrent l'autoroute de plaisance qui serpentait le long de la rivière Niagara. Éblouis par le paysage, ils garèrent la voiture à côté d'un bâtiment abandonné qui avait jadis abrité la centrale électrique Toronto. Greg et Mike tinrent compagnie à Keith, qui alla s'appuyer contre le vieux bâtiment en pierre. Comme ce dernier s'était récemment fracturé la cheville, il avait un plâtre qui lui montait jusqu'au genou et devait se déplacer à l'aide de béquilles.

Quant à Sherry, vêtue d'un survêtement rose qu'elle venait juste d'acheter, elle partit seule explorer les environs. Elle était attirée par la brume légère et le grondement de l'eau, qui s'écoulait en cascades par-dessus une large crête et s'engouffrait plus bas dans un torrent d'écume. L'onde bouillonnante avait un pouvoir magnétique sur elle, la poussant à s'en approcher le plus possible.

À quelques mètres d'elle se trouvait une invitante plate-forme d'observation en ciment. Sherry contourna un garde-fou en métal puis traversa une petite étendue herbeuse le long de la rivière pour se rendre jusqu'à l'étroite plate-forme qui surplombait le cours d'eau, à environ sept mètres de hauteur. Se tenant à quelques mètres seulement de la crête des eaux, elle était hypnotisée par le furieux tumulte des chutes qui rugissaient au-dessous d'elle, rappelant le bruit sourd du tonnerre, et d'où émanait un perpétuel nuage d'écume. Elle était enivrée par le sentiment de bonheur que lui procuraient les chutes d'eau. Elle savait qu'elle était en train d'admirer l'une des sept merveilles du monde. Ce qu'elle ignorait, c'est qu'il s'agissait également des rapides les plus dangereux du globe : chaque seconde, 2 650 000 litres d'eau s'engouffraient du haut d'une falaise large de 630 mètres.

Le regard de Sherry fut attiré par de l'eau qui s'écoulait d'un canal à vannes de la vieille centrale électrique, à seulement six mètres plus bas. Prudemment, elle se pencha par-dessus le garde-fou pour mieux voir. C'est à ce moment qu'elle perdit l'équilibre et qu'elle plongea tête première dans les rapides, dont la température tournait autour de cinq degrés Celsius.

« Elle est tombée à l'eau! » s'écria Mike, qui avait vu Sherry basculer dans le vide. Greg se précipita vers le bord de l'eau. « Où est-elle? hurla-t-il. Je ne la vois plus! »

Sherry éprouva un choc lorsqu'elle entra en contact avec l'eau froide, dont le courant l'entraînait vers le fond avec une force énorme. Tant bien que mal, elle parvint à retenir son souffle sous l'eau, et fut soudainement propulsée vers la surface. Keith l'aperçut juste avant qu'elle s'engouffre de nouveau sous les vagues. « Elle est là, en aval! » cria-t-il. Suffoquante, Sherry tenta frénétiquement de rejoindre la rive lorsque le courant l'entraîna vers des eaux plus calmes. Mais elle se trouvait à dix mètres du bord et dérivait rapidement vers les chutes.

Greg gravit la falaise et courut le long de la rive. Lorsqu'il arriva à la hauteur de Sherry, il plongea dans l'eau glacée. Il réussit à nager sur une distance de cinq mètres avant que la violence torrentielle des rapides ne le force à revenir vers la rive.

Pendant ce temps, les vagues continuaient à s'acharner sur le visage et les épaules de Sherry. Elle sentait les eaux de la rivière l'entraîner avec de plus en plus de violence. Elle se retourna prestement sur le dos, afin de mieux demeurer à la surface et de cesser d'avaler de l'eau.

Au loin, les jeunes hommes lui criaient : « Tiens bon! Nous allons te sortir de là! » Mais le bruit assourdissant de l'eau empêchait leurs voix de se rendre jusqu'à elle. Sherry n'entendait que sa propre voix qui récitait tout haut une prière à Dieu. « Je suis encore jeune, supplia-t-elle, je vous en prie, ne me prenez pas encore!» Elle pensa aux présents magnifiquement emballés qu'elle avait cachés dans les coins les plus secrets de son placard, en attendant la bonne occasion pour les offrir : pour son père et son grand-père, des chopes à bière à l'occasion de la fête des pères; une tire-lire pour son frère Wesley lorsqu'il obtiendrait son diplôme; et une boîte à musique jouant des valses pour l'anniversaire de mariage de ses parents. « La vue de ces présents allait les rendre si tristes maintenant », pensa-t-elle.

De morbides pensées traversèrent l'esprit de Sherry, la paralysant de peur. Mais sentant soudain une prodigieuse détermination l'envahir, elle comprit qu'elle ne pouvait pas abandonner. Elle résolut donc de puiser dans ses ressources intérieures pour arriver à se calmer. « Je n'ai qu'à faire confiance à Dieu », se dit-elle, et elle continua de prier pour que ses amis arrivent à la sauver par un moyen ou par un autre.

Pendant ce temps, Keith avait laissé tomber ses béquilles et s'était précipité en boitillant vers la route. Arrivé là, il tenta bravement de stopper un automobiliste pour demander de l'aide. Le premier véhicule passa tout droit mais celui qui suivait s'arrêta.

Pete Quinlan, Joe Camisa et John Marsh étaient des employés d'une usine sidérurgique des environs et venaient juste de finir leur journée de travail. La route qu'ils prenaient habituellement était devenue à sens unique et ils avaient dû faire un détour. Puis, s'apercevant qu'ils avaient oublié leur casque protecteur à l'usine, ils étaient en chemin pour retourner les chercher lorsque John remarqua un homme qui sautillait sur une seule jambe. Croyant qu'un accident était survenu, John baissa sa fenêtre et demanda : « Il y a quelque chose qui ne va pas?

— Il y a une fille qui est tombée à l'eau! Elle est tombée à l'eau! » cria Keith. John se précipita hors de son camion et courut jusqu'au bord de l'eau. Il ne vit tout d'abord que les flots de la rivière impétueuse. Puis il aperçut la tête de Sherry, qui ressemblait à un ballon de plage, flottant à quelque 100 mètres au large.

« Elle est trop loin, cria John, on ne pourra jamais se rendre jusque-là! » Né dans la région, il savait ce à quoi Sherry était en train de se mesurer, et il pensa même qu'elle allait y rester. Mais en la regardant dériver au gré du courant, il se ravisa : « Je préfère sauter que la voir tomber dans les chutes et passer le reste de ma vie à regretter de n'avoir rien tenté. »

« Je viens souvent pêcher par ici », dit John à ses compagnons de travail. Il avait grandi tout près des chutes du Niagara. Pêcheur aguerri, il avait toujours de la corde à l'arrière de son camion et il connaissait la configuration des rapides. « Là où elle se trouve, dit-il, le courant va vers les chutes. Mais lorsque je lance ma ligne dans cette direction, neuf fois sur dix elle dérive jusqu'à l'intérieur du déversoir, tout près de la centrale électrique. Donc, si elle ne bascule pas par-dessus la digue, elle va être entraînée vers la centrale. »

Mais il devait agir rapidement. Sherry n'était qu'à 245 mètres du début des chutes. Si elle dérivait jusqu'aux vannes d'alimentation de la turbine, elle serait déchiquetée en lambeaux, et lorsque le courant l'aurait entraînée au-delà du déversoir, il n'y aurait plus d'espoir de la sauver.

John Marsh et son collègue Pete Quinlan avaient l'habitude de travailler ensemble. Telle une équipe bien rodée, ils s'emparèrent sans hésiter des bouts de corde qui se trouvaient à l'arrière du camion et les nouèrent l'un à l'autre. John attacha une extrémité de la corde autour de sa taille pendant que Pete et Joe fixaient l'autre à la rampe métallique du pont. John considéra le plongeon d'une cinquantaine de mètres qui l'attendait et cria : « Maintenant! » Aussitôt, il sauta dans les rapides.

L'insatiable courant l'aspira sous les flots, mais celui-ci réussit à se propulser à la surface et à y demeurer. La température de l'eau, glaciale, ralentissait ses mouvements, mais il utilisa toute l'énergie et la force qu'il put rassembler pour nager. Sentant qu'il était arrivé au bout de la corde de vingt-cinq mètres, John appela désespérément Sherry, qui essayait de nager vers lui.

« Faites que je puisse l'attraper », supplia-t-il. Sherry était toujours sur le dos, ses longs cheveux flottant autour de sa tête. Étirant tous les muscles de son corps, John tendit la main le plus loin qu'il put. Sherry se déplaçait rapidement et le courant l'éloignait du déversoir. Il n'y avait plus que quelques centimètres entre eux deux, l'un relié à une corde, l'autre sans attaches, dérivant à toute vitesse. « Faites que je puisse l'attraper », pria de nouveau John, en tentant pour la dernière fois d'agripper la jeune fille. Cette fois-ci, au lieu de tâtonner dans le vide, il sentit sur ses doigts les cheveux de Sherry et serra aussitôt le poing. « Dieu merci », haleta Sherry, exténuée. Tout en claquant des dents et malgré ses lèvres bleutées et engourdies, elle regarda John et parvint à lui dire : « Merci à vous aussi ». Celui-ci l'avait prise dans ses bras et la ramenait vers le rivage.

Ramener John et Sherry sur la terre ferme constitua un tour de force. Des ambulances attendaient afin de traiter Sherry pour choc nerveux et hypothermie. Elle fut autorisée à rentrer chez elle deux heures plus tard, mais il n'en fallut pas plus pour que les médias aient vent du miraculeux sauvetage. John Marsh, quant à lui, remonta dans son camion avec ses amis, prêt à repartir, dès qu'il se fut assuré que Sherry était en sécurité dans l'ambulance. Mais un officier de la police canadienne, le constable Caddis, lui demanda son nom. Ainsi, tous ceux qui voulaient donner des accolades avaient dorénavant un nom à associer à cet acte héroïque. John Marsh fut en effet honoré par des politiciens canadiens et américains. Il reçut une lettre du président Ronald Reagan, qui rendit hommage à son courage. Marsh reçut en tout dix médailles et plaques, dont la médaille Carnegie, le prix américain d'héroïsme ITT, la médaille de bronze de la Société canadienne pour les causes humanitaires et l'Étoile du courage du Gouverneur général. « Pourquoi toutes ces cérémonies? » se demande John Marsh.

« Mon sauvetage est dû en grande partie à une coïncidence. Si John n'avait pas rebroussé chemin pour aller chercher les casques de son équipe, si la route qu'il empruntait normalement n'était pas devenue à sens unique, s'il n'avait pas si bien connu la région et n'avait pas transporté de corde dans son camion, je ne serais pas ici aujourd'hui », aurait dit Sherry.

Commentaire

La distance qui sépare la vie de la mort est toujours infime. Nous avons besoin de la main de Dieu pour combler cette distance et nous tirer d'embarras.

*E*n 1947, je retournais chez moi, à Brooklyn, par le métro de New York. Il était tard et je revenais d'un cours du soir au collège Hunter, à Manhattan. Lorsque j'entrai dans un train de la ligne BMT, à la trente-quatrième rue, je remarquai avec un tout petit pincement au cœur que le compartiment était presque vide, ne comptant que quelques personnes assises ça et là. Cependant, je ne m'inquiétai pas outre mesure — nous étions dans les années quarante et les incidents dans le métro étaient rares. Je me sentais néanmoins un peu mal à l'aise de me trouver si peu entourée.

Un arrêt plus loin, à la vingt-troisième rue, un homme pénétra dans le compartiment, et j'étais ravie de cette nouvelle présence. Mon soulagement se changea malheureusement en malaise lorsque le nouveau venu choisit de s'asseoir sur le siège immédiatement à côté du mien.

« Mais pourquoi diable a-t-il fait ça, me demandai-je, angoissée. Le compartiment est pratiquement vide, et il décide de prendre place juste à côté de moi. Que c'est étrange! »

Je regardai son visage avec inquiétude et fus rassurée de voir un homme réservé, doté d'une agréable expression et de bonnes manières. Loin d'avoir l'air menaçant, il semblait presque soumis et timide.

« Ah! C'est ça! Le compartiment vide lui inspire de la crainte à lui aussi! Il est venu se blottir contre *moi* pour se rassurer! »

Un peu plus et j'éclatais de rire.

En fait, il ne ressemblait pas à l'Américain type au tempérament impudent et agressif que j'étais habituée à croiser dans le métro.

« Peut-être s'agit-il d'un étranger », me dis-je, pensive.

Mes soupçons se confirmèrent quelques secondes plus tard lorsque l'homme sortit un journal en langue étrangère qu'il déplia sur ses genoux.

« Voilà, c'est bien ça! pensai-je, rassurée. Je n'ai plus à m'en faire, il est inoffensif. » Je me calai dans mon siège et me replongeai dans mon livre.

À l'arrêt suivant, la quatorzième rue, une femme d'âge mûr entra. Elle tourna la tête de gauche à droite, balayant des yeux le compartiment presque vide. Puis, elle se dirigea vers l'endroit où moi et l'homme nous trouvions.

Elle va s'asseoir tout près elle aussi, pensai-je.

Mais à ma grande surprise, au lieu de choisir un siège attenant, elle prit place sur la même banquette que le gentleman étranger.

« Voilà qui est étrange, me dis-je. Le compartiment est pratiquement vide et il faut qu'elle aille s'asseoir à côté d'un homme qu'elle ne connaît pas, et tout près de lui en plus. »

Je me mis à observer la femme avec intérêt.

Elle regardait par-dessus l'épaule de son voisin pour voir ce qu'il lisait. Puis elle lui adressa la parole dans une langue que je ne parlais pas couramment, mais que je pouvais identifier sans difficulté.

Elle lui parlait en yiddish.

Je ne connaissais pas cette langue, mais je maîtrisais l'allemand, qui lui est très similaire. Je pus donc suivre leur conversation sans beaucoup de difficulté.

« D'où venez-vous? » demanda-t-elle.

L'homme nomma un pays d'Europe de l'Est.

« Quelle ville? » s'enquit-elle de nouveau.

Il répondit encore une fois, de façon diplomatique, mais commençait visiblement à être troublé par cet interrogatoire.

« Que faisiez-vous… avant la guerre? »

Il nomma sa profession.

« Regarde-moi. *Regarde moi*, ordonna-t-elle. Tu ne me reconnais plus? »

Ils étaient mari et femme.

Ils avaient été séparés en 1938, au début de la Deuxième Guerre mondiale. Ils avaient tous deux connu l'enfer des camps de concentration, et à la fin des hostilités, chacun avait cru que l'autre était mort.

Tous deux s'étaient rendus à New York par leurs propres moyens afin d'entreprendre une nouvelle vie.

Et ils s'étaient retrouvés, neuf ans plus tard, dans un wagon de métro de la ligne BMT.

Pendant que cette réunification (qui fit sensation à New York et fut largement rapportée dans tous les journaux locaux) avait lieu sous mes yeux incrédules et remplis de larmes, je compris quelle était la force qui avait poussé la femme à venir s'asseoir si près de l'homme.

Et moi, dans tout ça? C'est la question que je me posais lorsque le train arriva à ma station et que je dus, à regret, quitter le wagon.

Pourquoi avaient-ils tous deux choisi de s'asseoir à côté de *moi*? Quel rôle étais-je censée jouer dans cette histoire et quelle était ma raison d'être?

J'étais alors très jeune, et je ne trouvais pas de réponse à ces questions. Aujourd'hui, quelque cinquante années plus tard, je crois comprendre.

Peut-être avais-je été placée là pour servir de témoin. Peut-être, dès le jeune âge, avais-je besoin d'apprendre quelque chose d'essentiel et d'être imprégnée du sentiment de mystère, d'exaltation et d'émerveillement qu'une telle scène inspire.

Et, peut-être me fallait-il prendre conscience, en étant témoin d'une si incroyable « coïncidence » au seuil de ma vie, qu'avec Dieu... tout est possible.

— *Ruth Fisher*

Commentaire
Être témoin d'un miracle constitue également un miracle.

$\mathcal{T}$om Stone* rencontra pour la première fois la femme blonde dans un atelier de mécanique à Las Vegas, où leurs voitures respectives faisaient l'objet de réparations. Il lui parla avec animation, espérant qu'elle était aussi attirée vers lui qu'il l'était vers elle.

Elle ne l'était pas.

Lorsqu'il l'invita à une sortie, elle refusa avec brusquerie.

Déçu, Tom haussa les épaules, mais encaissa assez bien ce rejet. Il avait au moins essayé. De toute façon, ils ne fréquentaient pas les mêmes milieux, et par conséquent ne se reverraient probablement jamais.

Il avait tort.

Un mois plus tard, Tom remarqua une voiture arrêtée sur l'accotement d'une route. Le capot était ouvert, ce qui signifiait un trouble mécanique. Il s'arrêta pour offrir son aide.

C'était la blonde.

Une fois encore, il éprouva une forte attirance vers elle et une fois de plus, l'invita à une sortie. Une fois encore, en dépit des évidentes vertus du demandeur (et de ses talents de mécanicien, car il avait réussi à déterminer la source du problème mécanique et à réparer le tout rapidement), elle refusa avec brusquerie. Comme les dernières fois, Tom accepta le rejet et ils se séparèrent.

Mais pas pour longtemps.

Un an plus tard, sur une autre autoroute dans une autre partie de la ville, Tom fut surpris d'apercevoir une voiture en flammes. Il s'arrêta derrière le véhicule et découvrit que sa propriétaire n'était nulle autre que… la blonde!

Le scénario de leurs rencontres précédentes se répéta fidèlement. Tom réussit à éteindre le brasier, puis invita la femme à sortir avec lui, après quoi elle refusa.

Trois ans plus tard, sur un pont de San Francisco, Tom s'arrêta pour venir en aide aux victimes d'un accident mettant en cause plusieurs véhicules. Surprise! Parmi les accidentés se trouvait… la blonde.

Cette fois, même elle fut impressionnée par toutes ces coïncidences qui ne cessaient de les faire se rencontrer, et — enfin! — accepta l'invitation de Tom.

Ils s'entendirent pour se rencontrer à un restaurant en ville, et Tom était ivre de joie.

Mais sa joie fut de courte durée.

La blonde ne se présenta pas au rendez-vous. Après avoir attendu pendant plus de deux heures à l'endroit prévu, Tom conclut qu'il n'y avait plus d'espoir et qu'il avait été rejeté une fois de plus.

Après cet incident, Tom cessa de s'arrêter lorsqu'il voyait des voitures en panne. Et il n'a pas revu la blonde depuis.

Commentaire

Lorsque je lus cette histoire pour la première fois (elle a originellement paru dans le *San Francisco Chronicle*), je fus amèrement déçue. Je voyais déjà l'homme et la femme s'éloigner main dans la main vers le soleil couchant, au comble du bonheur. Après tout, quel était l'aboutissement logique de cette singulière série de coïncidences, sinon de réunir les deux protagonistes par les liens du mariage? La fin de cette histoire m'a véritablement contrariée. Je n'avais jamais songé à la reprendre pour publication, parce qu'elle n'avait pas de réelle conclusion, et donc pas vraiment d'intérêt. Mais elle ne cessait de me tourner dans la tête et me troublait grandement. J'ai donc commencé à demander l'avis de mon entourage. Un femme perspicace me dit : « Peut-être que l'histoire n'est pas encore finie. » Hum…

Une autre personne m'a suggéré l'explication suivante : « Peut-être que cette histoire illustre ce qui peut se produire lorsqu'on *n'est pas réceptif* aux coïncidences. La femme blonde n'a pas voulu entendre leur message. Le scénario aurait été différent si elle avait ouvert son cœur. Mais, après tout, nous sommes tous dotés de libre arbitre, et elle a fait son choix. »

*L*e soleil de fin d'après-midi se couchait rapidement sur la ville où vivait Linda Carlisle, dans le centre de l'Ohio. C'était au mois de décembre, et une neige légère tombait sur le chemin qui menait au lycée, qui s'étendait sur une distance de deux kilomètres et demi. D'énormes congères bordaient chaque côté de la route. Une telle scène, où le temps semblait presque immobile, aurait pu faire l'objet d'un tableau de Grandma Moses. Voilà certainement à quoi ressemblait la ville de Linda, il y a trente ans.

Serrant sa flûte sous son bras, Linda était en retard pour la répétition de l'orchestre dont elle faisait partie. Comme si cela n'était pas suffisant, elle avait oublié ses mitaines. Elle avançait aussi vite que le sol glissant le lui permettait. En plus, c'était l'époque de l'année où la noirceur arrivait tôt.

Linda marchait d'un pas vif. Même si elle était grande pour ses dix-sept ans, l'énergie commençait à lui manquer, car l'air froid minait ses forces. Elle pouvait voir les petits nuages de buée qu'elle exhalait à chaque expiration. Ralentissant soudain le pas, elle remarqua qu'elle n'était pas seule : un énorme chien bondit de derrière un monticule de neige. L'animal était si gros que son dos arrivait à la hauteur de la taille de Linda. Il se plaça entre celle-ci et les congères et la poussait constamment vers le milieu de la route avec le flanc de son corps massif.

Linda se sentait légèrement effrayée. « Va-t'en », ne cessait-elle d'ordonner au chien d'une voix ferme. Elle n'osait pas trop le contrarier en raison de sa grosseur. Dans la rue déserte, ses mots résonnaient dans l'air glacial. Mais le chien ne prêtait aucune attention à ses sévères injonctions. Refusant d'obéir, il continuait de presser son corps contre le sien, l'éloignant des congères et des rangées de maisons qui se trouvaient derrière.

Au moment où Linda décida d'accélérer le pas pour échapper au chien, un homme aux cheveux d'un roux éclatant et à l'expression démoniaque surgit de derrière une congère et se précipita vers elle. Le chien, qui se trouvait entre la jeune fille et l'étranger, bondit sur ce dernier et le cloua au sol, ce qui permit à Linda de se sauver.

Le terrifiant étranger n'était pas de taille pour cet énorme chien, qui tenait l'une de ses jambes entre ses mâchoires. Après avoir réussi à se libérer, l'homme tituba en direction des monticules de neige et disparut.

Linda avait couru devant et était hors d'haleine. Il lui restait encore presque un kilomètre à parcourir lorsque le chien réapparut, surgissant de nulle part. Une fois de plus, l'animal se pressa contre Linda — cette fois du côté gauche pour la protéger des voitures qui circulaient dans la rue. Elle n'essaya plus de le repousser. Débordante de gratitude, elle lui flatta la tête. « Merci », dit-elle, profondément reconnaissante. Et elle était sincère. « Merci », répéta-t-elle.

Ils cheminèrent côte à côte jusqu'à l'école, dont l'entrée principale était verrouillée en raison de l'heure tardive. Mais Linda pouvait entendre le groupe répéter à l'intérieur. Elle décida d'emprunter la porte réservée à l'orchestre, à l'arrière. Elle frappa lourdement pendant que le chien demeurait fidèlement près d'elle, assis dans la neige. Une des membres de l'orchestre finit par ouvrir la porte.

« Mon Dieu, Linda, s'exclama la jeune fille. Tu as l'air de quelqu'un qui vient d'avoir une apparition! Il y a quelque chose qui ne va pas? » Linda avait de la difficulté à parler. Lorsqu'elle y arriva, elle raconta la navrante rencontre qu'elle venait de faire sur la route. « Et c'est ce chien qui m'a sauvée », dit-elle en se retournant vers l'endroit où le chien était assis quelques secondes plus tôt.

Mais l'animal avait disparu et demeurait introuvable.

Intuitivement, Linda savait qu'elle ne reverrait plus jamais son sauveur sur quatre pattes. Pendant plusieurs mois, elle lut quantité de livres sur les chiens qu'elle emprunta à la bibliothèque municipale et à celle de son école. Elle voulait savoir s'il existait une race de chien qui protégeait les gens du danger. Où s'agissait-il, comme elle s'en doutait, d'un événement unique?

Maintenant âgée de quarante-cinq ans, Linda ne vit plus dans cette petite ville de l'Ohio. En dépit de ses nombreuses recherches et des douzaines d'enquêtes qu'elle a faites au fil des ans, elle n'a jamais trouvé de chien comparable à celui qu'elle rencontra lors de cette froide nuit enneigée, il y a presque trois décennies.

Commentaire

On ne sait jamais sous quelle forme un miracle va se présenter. Par conséquent, il est bon d'avoir sur tout ce qui nous entoure un regard plein de respect et d'émerveillement.

*L*e rabbin Shlomo Carlebach, l'un des leaders les plus originaux et les plus inspirés de la communauté juive, était connu dans le monde entier comme « le rabbin chantant ». Grand maître spirituel de la dernière moitié du vingtième siècle, il s'adressait aux personnes de toutes les confessions. Nombreux étaient les gens qui avaient bénéficié de sa chaleur légendaire et de sa grandeur d'âme. Les histoires que l'on raconte à son sujet depuis sa mort, survenue en 1994, révèlent un humaniste à la bonté hors de l'ordinaire.

Partout où il allait — et c'était un vrai globe-trotter — il avait l'habitude d'enlacer et d'embrasser des gens qu'il ne connaissait pas, puis de leur demander leur nom et leur numéro de téléphone.

« Oh, mon cher frère! (ou ma chère sœur, selon le sexe de son nouvel ami) c'est si merveilleux de vous rencontrer! Je veux tout savoir sur vous! Donnez-moi votre nom et votre numéro de téléphone et je vous appellerai très bientôt. »

Il fourrait bouts de papier, morceaux de serviette de table, lambeaux de vieux menus et cartes d'affaires froissées dans les poches débordantes de ses pantalons et de ses manteaux. Certaines personnes se demandaient, à moitié cyniques, si cela valait la peine de donner leur numéro de téléphone au rabbin Carlebach, ou « Shlomo », comme on l'appelait affectueusement. « Je parie qu'il se débarrasse du numéro dès qu'il arrive à la maison », disaient certaines âmes blasées.

Il n'en était rien. Après sa mort, un membre de sa famille a évalué que le rabbin Carlebach avait accumulé — et gardé — plus de *un demi-million de noms et de numéros* de téléphone au cours de sa vie.

Parfois, il téléphonait à la personne immédiatement — quelques minutes ou quelques heures — après l'avoir rencontrée. Il pouvait également appeler des années plus tard, longtemps après que l'étranger ait abandonné tout espoir d'avoir des nouvelles de cette célébrité. Mais ses appels semblaient toujours avoir lieu au moment précis où les gens en avaient le plus besoin.

En novembre 1977, lors d'une rencontre des JAC (juifs alcooliques et toxicomanes) s'échelonnant sur un week-end, un homme se leva et raconta l'histoire suivante à propos des fameux appels téléphoniques de Shlomo Carlebach :

« Je lui avais donné mon numéro de téléphone à un concert, dix années auparavant. Il ne m'avait pas appelé, et j'étais cruellement déçu. Mais j'ai accepté la chose avec philosophie, sans amertume. Je me suis dit que comme il était très célèbre, il devait être très occupé et n'avait sûrement pas le temps de rappeler les dizaines de milliers d'étrangers qu'il rencontrait chaque année lors des concerts et des cours qu'il donnait partout dans le monde.

« J'éprouvais un vague regret, mais j'étais timide. J'aurais aimé avoir le courage de lui téléphoner moi-même, mais je ne l'ai pas fait. Je désirais de tout mon cœur entrer en relation avec ce saint homme, mais même s'il semblait chaleureux et modeste, j'étais incapable de prendre l'initiative.

« Dix années ont passé sans que je le revoie. Puis, un matin, le téléphone sonna.

« Je ne voulais pas répondre. Je me sentais très abattu et n'avais envie de parler à personne. Mais l'appareil continuait à sonner, avec insistance. De toute évidence, la personne qui appelait n'avait pas l'intention d'abandonner. Au bout de vingt coups, je décrochai le combiné à contrecœur.

« "Hé, mon frère, comment ça va?" dit une voix à la fois joviale et familière à l'autre bout du fil.

« C'était le rabbin Shlomo Carlebach.

« J'étais abasourdi. Il avait pris mon nom et mon numéro en note dix années auparavant.

« Shlomo, demandai-je, hébété. Pour quelle raison m'appelles-tu maintenant?»

« Eh bien, je cherchais une vieille bible que je n'avais pas consultée depuis longtemps, et lorsque j'ai fini par la trouver, je l'ai ouverte et un petit bout de papier où était inscrit ton nom en est tombé. Je me suis dit que c'était un signe de Dieu qu'il fallait que je te téléphone!»

« Un courant électrique me parcourut le corps et pénétra jusqu'au plus profond de mon âme. "Shlomo", ai-je dit en regardant la corde qui pendait du plafond et la chaise que je venais juste de placer en-dessous.

« Tu appelles juste au bon moment. »

Commentaire

Même dans les moments les plus sombres, il peut y avoir quelqu'un, quelque part, qui tient le flambeau qui peut nous ramener à la vie.

*L*e dernier jour de l'année scolaire, Liz, Jennifer et Stephanie décidèrent de célébrer l'occasion en s'offrant un repas au restaurant. Elles commandèrent des consommations, mais n'avaient pas le cœur à s'amuser. Comme de nombreux instituteurs œuvrant dans les écoles publiques des quartiers défavorisés de Tampa, elles ressentaient les effets de l'épuisement professionnel au terme d'une autre année difficile.

Même si elles avaient l'habitude de parler de leurs aventures sentimentales, elles s'avouèrent ce soir-là à quel point elles étaient démoralisées à la fin de cette session scolaire. « Je n'ai réussi à aider personne cette année, dit Stephanie.

— Oh, je suis sûre que oui, dit Liz.

— Bien sûr que oui, renchérit Jennifer.

Mais personne ne semblait convaincue. Les trois institutrices réglèrent l'addition et, souriant faiblement, se souhaitèrent de passer un été agréable.

Stephanie Osborne rentra à la maison, démoralisée et abattue. Elle craignait de devenir amère, et que les réalités qu'elle devrait affronter quotidiennement dans le cadre de son emploi dans le système scolaire finissent par avoir raison de l'idéalisme qui l'avait toujours nourrie. Assise au volant de sa voiture, elle essaya de se remonter le moral avec des pensées constructives. « Je travaille à titre de professeur de septième année en arts du langage dans un quartier défavorisé, se dit-elle. Ma force est que j'arrive à établir un rapport avec les étudiants avec qui personne d'autre ne peut s'entendre. Il n'y a qu'à voir le travail que j'ai accompli avec les jeunes "délinquants" dans le cadre du programme d'encadrement après la classe. »

Et c'était vrai — elle *avait* véritablement aidé des jeunes gens; c'était certainement vrai dans le cas de Steve, le premier étudiant qu'elle avait encadré. Au début, il était dissipé et belliqueux, et grâce à son aide il devint un élève réfléchi et attentionné. Son comportement antisocial était sa façon de réagir aux problèmes qu'il vivait à la maison. Stephanie savait que tous les enfants étaient dotés d'une bonté intérieure qui avait simplement besoin d'être révélée et encouragée à s'épanouir. Comme elle s'était sentie heureuse lorsque les notes de Steve s'étaient mises à remonter et que les choses commencèrent à bien aller pour lui.

Mais c'était deux ans auparavant. Cette année, personne ne l'avait serrée dans ses bras pour lui dire au revoir le jour de la fin des classes, comme l'avait fait Steve. En fait, les deux dernières années avaient été jalonnées non seulement de réussites, mais également d'échecs — des jeunes qui n'avaient pas pu être sauvés par le système.

Avait-elle perdu la main? Tous ces efforts en valaient-ils vraiment la peine? Était-ce faire preuve d'un idéalisme juvénile de croire que chaque habitant de la terre a quelque chose d'unique et de constructif à apporter?

Honteuse d'avoir de telles pensées, elle demanda un signe du ciel. Au moment où elle s'engageait dans son entrée, elle entendit la sonnerie du téléphone. Qui pouvait bien appeler à cette heure? Déterminée à ne pas rater cet appel, elle se gara rapidement et chercha maladroitement ses clés. Ouvrant enfin la porte, elle se précipita à l'intérieur et décrocha le combiné.

« Allô, dit-elle, hors d'haleine.

— Mme Osborne? dit une voix familière bien qu'hésitante à l'autre bout du fil. C'est Steve! »

Stephanie ne pouvait en croire ses oreilles. Son cœur se gonfla pendant que son ancien élève lui racontait qu'il était tiré d'affaire, que tout allait bien à l'école et qu'il s'était trouvé un emploi. Il lui dit aussi qu'il pensait souvent à elle.

Steve n'aurait pas pu deviner ce que cet appel téléphonique représentait pour elle. Ce soir-là, elle s'endormit le cœur léger, en se demandant si, peut-être, au cours des prochaines années, elle aurait le bonheur de recevoir un autre appel comme celui-là.

Commentaire

L'expression de la gratitude a souvent pour effet de faire renaître l'inspiration.

*L'*océan aux reflets bleu-vert s'étalait devant moi telle une couverture, et je marchais lentement dans l'eau chaude de la lagune de Lydgate, dans l'île de Kauai, à Hawaï. Un mois au paradis arriverait-il à me guérir?

Je n'étais pas certaine que quoi que ce soit puisse y arriver.

Un mois seulement auparavant, j'étais étendue dans un lit d'hôpital de la Nouvelle-Angleterre, où j'habitais, en raison de problèmes cardiaques et d'un épuisement dû à la sclérose en plaques. « Ma fille et moi devrions être en ce moment même dans un avion en route vers Kauai! » avais-je lancé au médecin.

« Ne t'en fais pas, me dit Dorene, ma fille de vingt-trois ans, d'un ton rassurant. Nous n'avons qu'à reporter notre voyage. Ce n'est pas la fin du monde. »

Mais c'était tout comme.

Âgée de quarante-neuf ans et divorcée, je voulais croire que j'avais encore beaucoup d'années devant moi. Mais au lieu de cela, mon cœur s'emballait, tout le côté gauche de mon corps était faible — et je sentais que je tombais en morceaux.

J'avais passé dix-sept longues journées à l'hôpital à me demander si j'allais retrouver mes forces un jour. Mais ce voyage allait s'avérer plus bénéfique que j'aurais jamais pu l'imaginer.

Le visage chauffé par le soleil, je nourrissais les poissons tropicaux qui nageaient sous la surface de l'eau. L'envie me prit de plonger dans les flots bleus, mais l'avertissement de mon médecin me revint à l'esprit : « Allez-y en douceur. »

Je ne suis pas très bonne nageuse de toute façon. Un jour de mon enfance, je nageais dans un lac lorsque je fus soudain prise d'une crampe à la jambe. Immédiatement, je m'enfonçai vers le fond. Je pris panique, sentant que mes poumons étaient sur le point d'éclater. Finalement, quelqu'un me tira de là. Depuis ce jour, je n'ai plus jamais été capable de mettre ma tête sous l'eau. Je me contente donc de barboter et de me laisser flotter.

J'ai donc barboté et flotté jusqu'à ce que je ne puisse plus sentir le fond sablonneux sous mes pieds, puis je me suis laissée porter par l'eau.

Je vis un homme nager vers la rive pour aller surveiller ses trois enfants pendant que sa femme allait nager à son tour, son équipement de plongée sous-marine à la main. Puis je continuai à flotter — sur une distance d'environ trente-cinq mètres — vers la partie la plus profonde de la lagune.

Là se trouvaient peut-être dix autres nageurs, faisant tous de la plongée, leurs tubes de respiration disparaissant et réapparaissant à la surface dans un essaim de bulles. Mais mon regard se porta plus loin, sur une silhouette dont les mouvements saccadés attirèrent mon attention.

« Hé, me dis-je, c'est la mère des enfants que j'ai vus tout à l'heure! »

Sans émettre le moindre bruit, la femme projeta un bras dans les airs, qui se tordit comme un tire-bouchon. Elle suffoquait en tentant d'arracher son masque de plongée.

J'ai tout de suite compris qu'il s'agissait d'une crise d'épilepsie, ayant été témoin d'un épisode de ce genre quelques années auparavant. Je ne voyais maintenant plus que la surface étale de l'eau à l'endroit où la femme se trouvait quelques secondes auparavant.

Sans que j'eusse le temps de réfléchir, mon corps prit l'initiative. Je nageai en petit chien du plus vite que je pus, le cœur battant. Puis, sans une seconde d'hésitation, je plongeai sous l'eau.

Je ne me souviens même pas d'avoir ramené la mère de famille à la surface, mais je me suis soudain trouvée flottant au beau milieu des vagues, tenant la femme à flot avec mon bras droit, le plus fort des deux. Puis, retrouvant ma voix, je criai : « À l'aide! »

Aucun des plongeurs ne m'entendit. Je continuai donc à m'époumoner, tout en essayant d'empêcher la femme — qui, saisie de convulsions, s'agrippait à moi — de nous entraîner toutes deux vers le fond.

Sur la rive, j'aperçus Dorene bondir au son de ma voix, et se mettre elle aussi à crier. Ensuite, le mari de la femme comprit soudain ce qui était en train de se passer.

« Ellen, hurla-t-il, Ellen! » Ses cris désespérés me brisèrent le cœur.

« Je ne peux pas attendre de l'aide, pensai-je. Il faut retourner toute de suite vers la rive. » À l'aide de mon bras gauche, le plus faible des deux, je nageai de toutes mes forces. Pourrions-nous y arriver? La panique s'empara de moi. Mais je vis soudain un homme s'approcher de nous à toute vitesse.

Haletant, il arriva jusqu'à nous. « Elle fait une crise d'épilepsie! criai-je.

— Prenez ses jambes », dit-il. Nous tirâmes ainsi la femme vers le rivage.

Lorsque mes pieds touchèrent enfin le fond, je m'écriai en direction de la foule : « Allez chercher un médecin! » Il se trouva qu'il y avait un médecin sur la plage, qui lui fit la réanimation cardio-respiratoire et expulsa l'eau de ses poumons. Quelques minutes plus tard, la femme avait disparu avec sa famille en ambulance.

Debout dans l'eau, je réalisai pour la première fois ce qui venait de se passer et me mis à sangloter. L'homme qui m'avait aidé à sauver la femme s'approcha de moi et dit : « Vous lui avez sauvé la vie.

— *Nous* l'avons sauvée, répliquai-je.

— Vous savez, poursuivit-il, c'est étrange… J'ai reporté ces vacances parce que j'ai été malade. J'étais en train de marcher dans l'eau quand tout à coup… »

Puis je lui racontai mon histoire.

Pendant un moment, nous nous sommes regardés, comprenant que nous venions de partager une expérience incroyable.

Peut-être n'était-ce pas une simple coïncidence que nous ayons tous deux été là pour sauver cette femme, pensai-je. Peut-être, je dis bien peut-être, Dieu a-t-il voulu nous donner quelque chose : un sentiment de force à un moment de notre vie où nous nous sentions diminués. Et nous montrer quelque chose : que nous pouvions accomplir des merveilles pour une autre personne même quand nous ne savions pas vraiment quoi faire pour nous-mêmes.

Nous appelâmes l'hôpital et apprîmes qu'Ellen était retournée chez elle. Elle ne sut jamais que l'étrangère qui lui tendit la main ce jour-là était moi.

Je pense très souvent à Ellen. Chaque fois que je me sens fatiguée ou faible, je revois mes jambes et mes bras bouger furieusement et je me rappelle du sentiment de force que cela m'a procuré.

Si j'ai été capable de tirer une femme de l'océan, il n'y a rien à mon épreuve!

Ellen dirait probablement que j'ai été son ange gardien.

Mais moi, je peux dire que c'est *elle* qui a été le mien.

— *Arlene Nunes*

Commentaire

Lorsque nous nous oublions pour venir en aide à quelqu'un, nous arrivons souvent à dépasser nos peurs et nos limites.

« Qui diable joue à ce petit jeu? » beugla Wayne Morgan* en entrant d'un pas lourd dans la cuisine tôt un matin d'automne, des sacs d'épicerie plein les bras et secouant la pluie de son imperméable.

« De quoi parles-tu, chéri? » demanda sa femme Linda d'un ton absent, concentrée qu'elle était sur les crêpes qu'elle retournait avec adresse dans la poêle.

« Il y a un imbécile qui n'arrête pas de déplacer les poubelles. Depuis quelques jours, quelqu'un prend l'une des poubelles se trouvant dans la cour avant et va la déposer dans l'allée, juste au-dessous des fenêtres des chambres à coucher. Quel genre de mauvais tour est-ce là? Chaque fois que je vais reporter la poubelle dans la cour avant, le jour suivant je la retrouve de nouveau dans l'allée!

— Écoute, chéri, dit sa femme en essayant de le calmer, je sais que cela doit être embêtant d'avoir à constamment transporter la poubelle devant, mais vraiment ce n'est pas si grave que ça.

— Ouais, grogna-t-il, ce n'est pas si grave, tu as raison, mais je trouve tout de même cela extrêmement exaspérant! C'est un geste si insensé, si stupide!

— La même chose vient-elle encore juste de se produire? Quelles nouvelles du côté de la poubelle vagabonde aujourd'hui? dit Linda, taquine.

— Ouais, c'est ça qui m'a mis en colère. Hier soir, j'ai replacé la poubelle à l'avant, et ce matin, quand je suis parti pour le supermarché, elle se trouvait encore une fois dans l'allée. Je l'ai alors remise dans la cour, et quand je suis revenu avec les victuailles, elle était de nouveau dans l'allée!

— Eh bien, ça te fait au moins un peu d'exercice! dit sa femme en essayant de plaisanter.

— Cette fois-ci, je ne l'ai pas changée de place car j'avais les bras chargés de sacs d'épicerie, dit Wayne. Je vais y aller dans quelques minutes après avoir bu mon café.

— Écoute, quand tu en auras l'occasion, demanda Linda, changeant de sujet, pourrais-tu réparer le garde-fou de la fenêtre de la chambre du bébé? Il est mal fixé, et maintenant que notre fille se déplace à quatre pattes et qu'elle se tient debout, j'ai peur qu'elle puisse grimper jusqu'à la fenêtre, et qui sait ce qui pourrait alors arriver?

— Oh mon Dieu, cria Wayne. Tu ne m'avais pas dit que le garde-fou était brisé! J'ai ouvert la fenêtre ce matin et j'ai sorti de bébé de son berceau avant de partir pour le supermarché. »

Ils échangèrent un regard alarmé et se précipitèrent dans la chambre d'enfant.

Le garde-fou était arraché et le bébé n'était plus dans la chambre.

Linda hurla et s'affaissa dans un fauteuil. Le cœur palpitant de peur, Wayne se résolut à regarder par la fenêtre, s'attendant au pire.

Abasourdi, il considéra la scène qui se déroulait plus bas, les yeux écarquillés, et un sanglot étouffé s'échappa de ses lèvres — exprimant à la fois l'effroi et le soulagement.

Deux étages au-dessous de la fenêtre ouverte, un gazouillement familier se fit entendre, et Wayne pouvait voir son enfant agiter énergiquement ses petits bras en essayant de s'extirper de la surface moelleuse qui avait amorti sa chute.

Elle était blottie dans la poubelle remplie des feuilles mortes que son père avait ratissées et ramassées la semaine précédente.

Commentaire

Parfois, le remède arrive avant la maladie, mais aveugles comme nous avons tendance à l'être, simples mortels, nous sommes souvent incapables de reconnaître l'un et l'autre pour ce qu'ils sont vraiment.

$\mathcal{D}$urant l'hiver de l'année 1977, Miriam Altschul* quitta le quartier du Bronx où elle avait grandi pour aller habiter à Brooklyn, avec son bébé et son mari.

Déménager ne fut pas facile. Miriam connaissait bien chaque rue, chaque poteau indicateur, chaque commerce de son vieux quartier du Bronx. La plupart évoquaient nombre de souvenirs irremplaçables et faisaient monter en elle un sentiment de nostalgie. Elle connaissait tous les habitants du quartier et considérait nombre d'entre eux comme ses amis proches.

À Brooklyn, elle ne connaissait personne.

Cependant, comme son mari, homme persuasif à l'esprit pratique, lui avait expliqué de façon fort convaincante, ce vieux quartier du Bronx se détériorait et ne constituait plus un milieu approprié pour élever des enfants. Flatbush, par contre, était un quartier florissant regorgeant de jeunes familles comme la leur, débordant d'énergie et de vitalité. On y trouvait de bonnes écoles et d'excellents commerces. Bref, l'endroit était en mesure de leur offrir la qualité de vie qu'ils recherchaient.

Mais sans amis, la vie lui semblait vide de sens.

À mesure que l'hiver passait, Miriam se sentait de plus en plus mélancolique et abattue. « Peut-être avons-nous fait une erreur de déménager dans un immeuble où la vie est si anonyme. Tout le monde est enfermé dans sa petite caverne individuelle. Une maison privée aurait peut-être constitué un meilleur choix », se dit-elle, se perdant en conjectures.

« Et cette idée de déménager au beau milieu de l'hiver! Où avions-nous la tête? » se grondait-elle.

Les températures frigorifiques, le gel et les incessantes chutes de neige qui caractérisèrent l'hiver particulièrement rigoureux qu'ils eurent cette année-là contribuèrent à la garder la plupart du temps prisonnière à l'intérieur de la maison avec le bébé. « Si au moins nous avions déménagé à l'automne ou attendu le printemps, j'aurais pu sortir dans le parc et y rencontrer d'autres jeunes mères », pensait-elle avec regret.

Miriam était une femme chaleureuse, sociable et grégaire qui aimait et recherchait la compagnie d'autrui. Sans entourage, elle dépérissait. Elle se sentait donc de plus en plus déprimée et emprisonnée dans un cocon d'isolement. « J'ai besoin d'une amie », se disait-elle avec désespoir.

Un matin que le mercure avait grimpé quelque peu et que le soleil brillait de tous ses feux, Miriam décida de s'aventurer à l'extérieur avec son enfant. Spontanément, elle fit quelque chose qui n'était pas dans ses habitudes. Elle vivait au deuxième étage de l'immeuble et comme elle était jeune et agile, elle empruntait toujours les escaliers pour se rendre dans le hall d'entrée. C'était plus rapide que d'attendre l'ascenseur, qui était lent et qui craquait de façon inquiétante. Mais ce matin-là, une voix intérieure lui dit de plutôt choisir l'ascenseur, et elle attendit donc patiemment qu'il arrive. Lorsqu'elle ouvrit la porte, elle vit une jeune femme aux joues roses et aux yeux brillants, serrant dans ses bras un enfant du même âge que son fils.

Elle avait trouvé son amie.

La jeune femme enjouée sourit à Miriam de façon invitante, et lui dit d'un ton pétillant : « Vous êtes sûrement la nouvelle locataire! J'ai entendu parler de votre arrivée et je voulais passer chez vous pour vous dire bonjour, mais je n'en ai pas eu l'occasion. Désolée! Bonjour, je m'appelle Toby Green*. Quel est votre nom? D'où venez-vous? Comment aimez-vous votre nouveau milieu de vie jusqu'à maintenant? Avez-vous des amis ou de la famille dans les environs? Non? Oh mon Dieu, c'est terrible! Êtes-vous restée enfermée tout l'hiver, comme moi? Eh bien, nos enfants ont l'air d'avoir le même âge — nous devrions passer du temps ensemble! »

Toby devint non seulement l'amie de Miriam, mais elle la prit sous son aile. Elle lui fit découvrir le quartier, lui montrant où étaient les différents centres d'achats et les autres services, la présentant à diverses personnes et l'accompagnant à des réunions de groupes de bénévolat féminin. Elle vit également à ce que la présence de Miriam soit connue de toute la collectivité. Les deux femmes devinrent inséparables et allaient partout ensemble — faire des courses, sortir avec les enfants, faire de l'exercice, manger au restaurant et plus encore.

Toby se révéla être une véritable bénédiction dans la vie de Miriam, car elle mit fin à cette solitude qui planait au-dessus d'elle comme un sombre nuage. Bientôt, Miriam parvint à s'intégrer dans la vie de son nouveau quartier et à créer la vie sociale dont elle avait besoin. « Je dois tant à Toby, pensait souvent Miriam avec gratitude. Elle m'a tellement aidée. Que serais-je devenue sans elle? »

Un an plus tard, Toby déménagea à Toronto, au Canada, et Miriam ne la revit plus jamais.

En 1994, Pinchos Altschul, le fils de Miriam âgé de dix-sept ans, obtint son diplôme d'études secondaires et décida de poursuivre ses études dans un prestigieux établissement d'enseignement en Israël. Pour la première fois de sa vie, il allait être séparé de sa famille pendant longtemps, en plus de se retrouver seul dans un pays qui était souvent la cible de bombardements et d'attaques terroristes.

C'était également la première fois de sa vie qu'il irait à une école où il ne connaissait personne, ce qui, pour un jeune homme de dix-sept ans, était une source de grande anxiété.

Pinchos était un garçon amical et extraverti qui avait toujours eu un vaste cercle d'amis et une vie sociale des plus actives. Mais bien que plusieurs de ses camarades de classe de New York allaient également étudier en Israël, tous avaient choisi des établissements d'enseignement différents, et leurs chemins s'étaient séparés. Même si personne dans la famille de Pinchos ne s'en faisait pour lui, connaissant la facilité avec laquelle il se faisait des amis, il n'en était pas moins rempli d'inquiétude. Un pays étranger, une nouvelle école, pas de famille, tout seul. « J'espère me faire un bon ami bientôt », pensa-t-il avec tristesse.

Le jeune garçon avait les joues roses et les yeux brillants, un sourire chaleureux et une personnalité radieuse. Pinchos le rencontra un matin dans le couloir du dortoir et le garçon lui adressa un sourire espiègle. « Hé, c'est toi le nouveau, au fond de la salle?

dit-il. J'ai entendu parler de ton arrivée et je voulais passer dire bonjour, mais je n'en ai pas eu l'occasion. Je m'appelle Sholom. Je suis moi aussi nouveau ici. Je parie que tu te sens un peu triste et seul, c'est normal, mais comme nous sommes tous deux nouveaux, pourquoi ne pas joindre nos forces et faire des choses ensemble, d'accord? »

Sholom prit Pinchos sous son aile. Il le présenta aux autres étudiants du dortoir, le mit au courant des usages de l'endroit, lui fit découvrir Jérusalem et, de bien des façons, l'aida à s'adapter la vie de pensionnaire, nouvelle et différente. Grâce à son amitié avec Sholom, Pinchos s'ajusta facilement, obtint d'excellents résultats scolaires et s'épanouit de façon si complète que cette expérience influa grandement le cours de son cheminement académique. Et, ce qui était le plus important, il était heureux.

« Je dois tant à Sholom, pensait-il souvent. Comment pourrais-je lui rendre la pareille pour toutes les choses qu'il a faites pour moi? Peut-être pourrais-je l'inviter à venir à New York à la fin des classes… »

« Hé, maman, demanda Sholom à sa mère quelques jours après son retour à la maison, à Toronto, en juin. Pourrais-je aller passer quelque temps à New York cet été pendant les vacances?

— Qu'est-ce que tu irais faire là? Où habiterais-tu? lui demanda sa mère.

— C'est un ami que j'ai connu à l'école qui m'a invité. Nous étions très proches en Israël.

— Vraiment? Comment s'appelle-t-il?

— Pinchos Altschul.

— Altschul… voilà un nom inhabituel… se pourrait-il qu'il soit parent avec Miriam Altschul?

— C'est le nom de sa mère. Tu la connais?

En silence, la mère de Sholom se dirigea vers le placard où elle gardait ses photographies et en sortit un vieil album aux pages jaunies. Elle fit signe à Sholom de s'approcher et indiqua du doigt une photo défraîchie de deux jeunes femmes portant des robes démodées, enlacées en une chaleureuse étreinte, accompagnées de deux nouveau-nés au visage angélique assis côte à côte sur leurs genoux.

Sholom reconnut la femme à l'allure fougueuse et aux yeux brillants. C'était sa mère, bien sûr. Et l'enfant blotti dans ses bras, c'était lui.

Mais qui était cette autre jolie femme qu'elle enlaçait si affectueusement, et quel était le nom du petit garçon assis sur *ses* genoux?

« Pinchos Altschul », dit doucement Toby Green, de Toronto, en essuyant une larme. « Sa mère, Miriam, était ma meilleure amie lorsque je vivais à New York en 1977. Sans le savoir, Sholom, il semble que toi et ton ami avez répété un scénario écrit il y a presque deux décennies. »

Commentaire

Qu'il s'agisse de vendettas ou d'histoires d'amour, certaines forces qui sont mises en mouvement dans une génération se répètent souvent dans la suivante, et la semence qui a été plantée dans un passé lointain porte fruit dans un avenir que nous ne pouvons jamais envisager.

$\mathcal{P}$endant toute son enfance, Sara Ain Flascher avait reçu plus que sa part de coups et s'était infligé nombre de bleus, d'égratignures et de coupures, mais elle n'avait jamais ressenti la douloureuse piqûre d'une abeille. Par conséquent, elle ignorait totalement et n'avait jamais eu de raison de soupçonner qu'elle était allergique — extrêmement allergique — au venin de cet insecte.

Lorsqu'elle se fit piquer par une abeille pour la toute première fois, elle était déjà arrivée à l'âge adulte, inconsciente du danger qu'elle courait et pas du tout préparée à y faire face.

Au début d'un après-midi d'automne, alors qu'elle conversait avec entrain avec des amis chez qui elle était en visite, à Newburgh, dans l'État de New York, elle éprouva soudain une vive douleur au doigt.

« Aïe! » cria-t-elle, saisie de peur, au moment où l'aiguillon de l'abeille lui transperça la peau. Immédiatement, le doigt se mit à lui élancer et à devenir de plus en plus sensible.

« Kurt! s'écria-t-elle en direction de son mari. Viens vite! Je crois que je viens de me faire piquer par une abeille! »

Kurt accourut à ses côtés pour la rassurer, et lui affirma qu'elle n'avait rien à craindre de ce genre de piqûre. Lui non plus n'avait aucune idée du grave danger que courait sa femme et ignorait que les choses iraient en s'aggravant de minute en minute.

« Ne t'en fais pas, ce n'est rien, dit-il d'un ton réconfortant. Je connais des gens qui ont eu des douzaines de piqûres d'abeille, sans conséquences vraiment fâcheuses. La douleur va bientôt disparaître. »

Mais la douleur augmentait au lieu de diminuer, et le doigt de Sara se mit à enfler de façon inquiétante. Puis le bras commença à lui élancer.

« Kurt, demanda Sara, alarmée, tu sais que je reçois chaque semaine des injections pour toutes les choses auxquelles je suis allergique. Serait-il possible que je sois également allergique au venin d'abeille? »

Étant donné qu'aucun médecin n'avait prévenu Sara de cette possibilité, ni elle ni son mari n'avaient réalisé ce à quoi ils faisaient face : une grave réaction allergie au venin d'abeille.

Au même moment, la sonnette de la porte d'entrée retentit. L'amie chez qui ils étaient en visite, qui jusque-là était demeurée aux côtés de Sara, la surveillant avec inquiétude, alla répondre à contrecœur. « Je reviens tout de suite », promit-elle.

Une femme d'âge mûr se tenait sur le seuil, l'air soucieux.

« Je m'excuse de vous déranger, dit-elle d'une voix douce, mais j'habite à une rue d'ici et ma mère est atteinte de la maladie d'Alzheimer et elle s'est éloignée de la maison et nous la cherchons partout et nous nous demandions si peut-être un des voisins l'avait aperçue ou fait entrer chez lui et je me sens si coupable parce que j'aurais dû la surveiller de plus près mais j'ai été distraite par un coup de téléphone d'urgence d'un de mes patients et… »

L'amie de Sara interrompit la femme au beau milieu de sa phrase. « Un de vos *patients*? s'exclama-t-elle vivement. Seriez-vous médecin, par hasard? »

La femme fit oui de la tête, troublée.

L'amie de Sara entraîna la voisine dans la maison. « S'il vous plaît, pourriez-vous examiner mon invitée. Elle vient de se faire piquer par une abeille et semble réagir de façon inhabituelle…. »

Le médecin entra précipitamment.

Le bras de Sara était maintenant enflé, et son doigt tout gonflé.

Après avoir extrait l'aiguillon d'un geste rapide, le médecin courut à la cuisine afin d'y trouver les ingrédients nécessaires pour bander la main de Sara, soit du bicarbonate de soude et de la glace. Puis elle l'examina une deuxième fois et l'emmena à toute vitesse en voiture à son bureau — qui se trouvait tout près — pour lui faire une injection qui, expliqua-t-elle, constituait un antidote au venin d'abeille.

Plus tard, lorsque tous se furent calmés et que l'enflure eut commencé à diminuer, les Flascher se confondirent en remerciements. Le médecin dit alors d'une voix grave : « Vous savez,

M. Flascher, la rapidité avec laquelle j'ai pu intervenir a évité à votre femme de graves problèmes. Si je n'avais pas sonné au moment où je l'ai fait, qui sait ce qui aurait pu arriver? »

Des années après l'incident, les Flascher racontent toujours cette histoire avec un sentiment d'émerveillement et de gratitude. C'est un « petit miracle », disent-ils, dont ils vont sûrement se rappeler pour le reste de leur vie.

Commentaire

Ceux qui viennent chercher de l'aide auprès de nous peuvent très bien s'avérer être la source de notre salut.

*C*olleen regarda la date de son calendrier et poussa un soupir. Une éternité auparavant — dix-huit ans exactement –, elle avait donné naissance à une petite fille qu'elle avait ensuite laissée en adoption.

Au fil des ans, le souvenir de cette enfant l'avait hantée : était-elle intelligente, jolie, en santé, heureuse? Son dix-huitième anniversaire approchait à grands pas. Aux termes de la loi canadienne, Colleen avait maintenant le droit d'effectuer des recherches pour retrouver sa fille. Oserait-elle?

Elle décida de faire une démarche, bien que modeste. Ayant déménagé entre-temps à des centaines de kilomètres de la ville où l'enfant avait vu le jour, Colleen communiqua avec le journal de cette ville, située dans la province de l'Alberta, au Canada.

« Pourrais-je avoir le service des petites annonces? demanda-t-elle à la réceptionniste du *Times* d'Alberta. J'aimerais faire paraître une annonce.

— Bien sûr, répondit l'employée, quel est votre message? »

Son projet avait si peu de chances de réussir que Colleen pensa raccrocher. Mais l'annonce devait absolument paraître au moment opportun, c'est-à-dire exactement le jour de l'anniversaire de naissance de sa fille.

« Joyeux anniversaire, commença-t-elle. Puis elle fournit le prénom qu'elle avait donné à sa fille lorsqu'elle l'avait laissée en adoption dix-huit années plus tôt; elle dicta ensuite un petit message expliquant les circonstances de sa recherche et donna le numéro de téléphone de sa résidence, dans la petite ville éloignée où elle vivait.

Les choses auraient pu en rester là, n'eût été d'un rédacteur travaillant tard ce soir-là au service des informations, qui remarqua l'annonce de Colleen. « Je crois que je tiens quelque chose », se dit-il.

Cette même journée, une femme nommée Jodi Mitchell avait téléphoné au *Times*. Même si elle ne vivait pas dans la même ville, elle cherchait quelqu'un qui y habitait peut-être. Dix-huit années auparavant, Jodi avait été adoptée. Tout ce qu'elle savait, c'est qu'elle était née dans cette ville d'Alberta. Espérant que sa mère biologique s'y trouvait toujours, la jeune femme désirait faire paraître une annonce pour la retrouver.

Immédiatement, le rédacteur décrocha le combiné et appela Colleen. Il était presque 23 h. Colleen s'inquiéta lorsqu'elle sut qui était son interlocuteur. « Y a-t-il quelque chose qui ne va pas? demanda-t-elle.

— Non! répondit le rédacteur, seulement, je viens de tomber sur une coïncidence que je ne peux ignorer. Il y a ici une autre annonce qui est... semblable à la vôtre. » Colleen eut la chair de poule lorsqu'il lui fit part de la teneur de l'annonce. D'une main tremblante, elle prit le numéro de téléphone en note et appela la jeune femme.

Jodi Mitchell s'avéra être la fille de Colleen. Qui aurait pu prévoir qu'elles feraient paraître des annonces semblables, dans le même journal d'une ville éloignée, le même jour? Telle mère, telle fille.

Commentaire

Sachez qu'il existe un maître tisserand qui réunit les personnes dont la destinée est d'être ensemble.

*W*ayne saisit son maillot de bain et courut en direction de la porte. « Salut, maman, je vais chez un ami! dit-il.

— Une petite minute! » dit Pat, en bondissant devant son adolescent de fils. Elle chercha à le regarder dans les yeux sous sa casquette de base-ball. « À quelle heure comptes-tu rentrer à la maison? »

Wayne roula les yeux. C'était là une routine qu'il connaissait bien. Il lui dit qu'il serait de retour le lendemain soir et l'embrassa sur la joue.

Mais il ne se débarrasserait pas de sa mère si facilement. Souriant et agitant le doigt, elle dit : « Je veux que tu me téléphones à midi demain. » Puis elle lui tendit un morceau de papier pour qu'il y inscrive le numéro de téléphone de l'ami chez qui il allait. Lorsqu'il fut parti, elle plaça le papier sur sa table de chevet dans l'intention de l'emporter au travail le lendemain. Il va sans dire qu'elle connaissait bien son fils Wayne.

Le lendemain, au travail, Pat attendait l'appel de son fils. Mais midi passa, et bientôt il fut 13 h, puis 14 h. Toujours pas de nouvelles de Wayne. Pat secoua la tête. Elle n'était pas surprise. Mais elle ne pouvait s'empêcher de s'inquiéter. Elle fouilla dans son portefeuille afin de trouver le numéro de téléphone de l'ami de Wayne, puis réalisa en se frappant le genou de la main qu'elle l'avait oublié à la maison. « Que puis-je faire maintenant? », se dit-elle, irritée.

Elle se trouvait dans une situation embarrassante. Elle ne pouvait quitter le bureau, mais elle frémissait à l'idée d'avoir à attendre encore l'appel de son fils, adolescent dont la notion du temps n'avait rien à voir avec la sienne. Elle penserait à Wayne et à son bien-être pendant toute la journée. S'exhortant au calme, Pat essaya de se rappeler, en fermant les yeux, des chiffres qu'elle avait griffonnés sur le morceau de papier. Tentant sa chance, elle composa le numéro dont elle réussit à se rappeler.

Un homme répondit au bout de deux coups.

« Allô, dit timidement Pat. Wayne Brown est-il à la maison, par hasard?

— Voyons voir, Wayne Brown, Wayne Brown... », articula lentement l'homme, qui réfléchissait de toute évidence. Pat pensa raccrocher.

« Je ne me rappelle pas qu'un Wayne Brown soit passé par ici aujourd'hui », dit-il enfin.

Pat remercia vivement son interlocuteur, en lui expliquant qu'elle avait composé le mauvais numéro, et s'apprêtait à raccrocher lorsque l'homme lui dit : « Quel âge a Wayne? » Pat regarda le combiné d'un air interrogateur. Quelle étrange question! « Quel âge? dit-elle, seize ans. » Elle regretta aussitôt d'avoir répondu, mais quelque chose l'avait poussée à le faire. Cependant, l'homme lui dit qu'il ne pouvait pas l'aider et raccrocha. Pat décida qu'il ne servait à rien d'essayer d'autres numéros et fit de son mieux pour se concentrer sur son travail.

Quatre heures plus tard, un collègue répondit au téléphone et tendit le combiné à Pat. « Allô? » dit-elle en plaçant le récepteur contre son oreille. Elle reconnut avec soulagement la voix de Wayne. « Maman! s'écria-t-il d'un ton incrédule, comment as-tu su que j'étais au bureau du dentiste? »

Pat bondit de son siège. « De quoi parles-tu? » répondit-elle en riant. Avec sa verve habituelle, Wayne lui raconta l'histoire. « Mon ami devait se faire retirer son appareil orthodontique et m'a demandé de l'accompagner. Je lui ai répondu : "Pourquoi pas?"

« Lorsque je suis entré dans le bureau du dentiste, mon ami m'a présenté à cet homme que je n'avais jamais vu auparavant. "Voici Wayne Brown", a dit mon ami, ce à quoi le dentiste a répondu, en s'adressant à moi : "Ta mère attend ton appel."

« Je croyais que le dentiste faisait des blagues — tout de même, comment pouvait-il être au courant? Puis il m'a dit que tu avais téléphoné à son bureau. Maman, je ne savais même pas que j'allais être à cet endroit, *alors comment diable as tu pu le savoir?* »

Il se trouva que Pat avait en effet composé un « faux numéro ». Le dentiste avait pris une pause pour déjeuner et se trouvait dans sa petite maison, située derrière son bureau. En temps ordinaire, il n'aurait pas répondu, mais comme c'était sa ligne privée qui avait sonné, il décrocha.

Cet événement se déroula à Anchorage, en Alaska, ville dont la population est de un quart de million d'âmes et qui comprend un nombre incalculable de lignes téléphoniques. Mais Pat n'attendait qu'un seul appel, celui de son fils, et, Dieu lui en soit témoin, elle l'a reçu.

Commentaire

Même si le cordon ombilical est coupé dès les premières secondes suivant la naissance, son équivalent spirituel continue de vibrer pour l'éternité, transmettant un flot de messages non verbaux entre mère et enfant.

$\mathcal{I}$l était le dernier de la portée. Petit, chétif et maladif, presque trop faible pour pouvoir se tenir sur ses fragiles pattes, il s'était tapi dans un coin sombre de la grange.

« Ne prends pas celui-là », dit d'une voix rude le propriétaire des chiots, Bill, en indiquant les quatre robustes petits qui tremblaient dans la paille. « N'importe lequel de ceux-là serait un meilleur choix. »

Mais je ne pouvais détourner mon regard du misérable petit chien, qui me regardait avec des yeux suppliants et une douce expression capables de faire fondre le plus glacial des cœurs.

« Quel est son nom? demandai-je.

— Écoute, Johnny, soupira Bill. Je suis un bon ami de ton père et je ne veux pas te donner de mauvais conseil. Je ne suis même pas certain que ce chiot survivra. »

C'est *comme moi*, pensai-je. Ils n'étaient pas certains que je survive non plus.

L'année précédente, à l'âge de treize ans, j'avais appris que j'étais atteint de leucémie. J'étais maintenant en rémission, mais je me sentais aussi fragile que le chiot de huit semaines qui bondit vers moi et me lécha la main avec enthousiasme.

« Eh bien, j'aurai tout vu, dit Bill en se grattant la tête. C'est la première fois que je le vois faire ça. Il est si timide et craintif, et il a peur de tout et de tout le monde, même de son ombre. Mais il a vraiment l'air de t'aimer.

— Nous avons quelque chose en commun », dis-je avec un sourire contraint, davantage à moi-même qu'à Bill.

Lorsque je me penchai pour flatter le fragile animal, je sentis dans tout mon être la force du lien qui nous unissait.

« Comment s'appelle-t-il? demandai-je de nouveau.

— Miracle, dit gravement Bill. Parce que c'en est certainement un qu'il soit toujours vivant. Il a été si malade les premières semaines.

— Je le prends. »

Bill me mit la main sur l'épaule dans un geste de compassion. « Je ne veux pas que tu aies de la peine, Johnny. Et si le chien ne survivait pas? Tu as traversé beaucoup d'épreuves cette année. Je ne veux pas que tu souffres en raison de la mort de cet animal. Suis mon conseil, choisis un autre chiot, je t'en prie! »

Mais c'est avec Miracle blotti dans mes bras que je quittai la grange. Je méritais bien ma réputation d'entêté.

Au fil des ans, Miracle fut la preuve vivante que la première impression peut s'avérer fausse. Il devint aussi téméraire que moi. Il acquit un courage indomptable, et nous nous apprîmes mutuellement comment tromper la mort et la maladie ainsi qu'à se détourner des gens de mauvais conseil et dénués de jugement. Nous connûmes tous deux des périodes difficiles, mais nous les traversâmes ensemble et triomphâmes de l'adversité. Et nous avons survécu.

Un lien aussi fort que celui qui existait entre Miracle et moi avait-il déjà existé entre un garçon et son chien? Mon fidèle compagnon m'accompagnait à l'école le long des routes rurales de l'État du Maine, où j'habitais, puis retournait à la maison à toute vitesse. À 15 h précises, il m'attendait fidèlement à la porte de l'école pour parcourir avec moi le chemin du retour. Il dormait au pied de mon lit, et ses habitudes de sommeil étaient exactement les mêmes que les miennes. De plus, il était très sensible à mes états d'âme, me léchant profusément le visage avec sa langue humide lorsque je me sentais particulièrement triste et me protégeant avec témérité lorsque mes frères et sœurs me tourmentaient ou m'accablaient de sarcasmes.

« Nous sommes liés à jamais, et nous serons toujours ensemble », rêvais-je souvent.

« Toujours » s'avéra une impossibilité, comme je pus le constater quatre années plus tard. En effet, je fus accepté dans une prestigieuse université de Boston et reçus une bourse que je désirais ardemment et dont j'avais grandement besoin. J'avais enfin réalisé mon rêve : être admis dans l'un des établissements universitaires les plus prestigieux du monde.

« Que vais-je faire de Miracle? », demandai-je un jour à ma mère, lorsque j'appris que les étudiants devaient habiter dans le foyer de l'université, où aucun animal n'était toléré.

« Tu n'as pas le choix, dit ma mère, tu dois le laisser ici. Je sais que ce sera difficile pour toi de te séparer de lui, mais tu pourras le voir pendant les vacances de Noël et à Pâques. »

C'est le cœur gros que je fis mes adieux à Miracle le jour de mon départ de la maison. « J'aimerais pouvoir t'expliquer pourquoi je m'en vais, lui dis-je tristement. Et j'aimerais trouver le moyen de te dire que je vais revenir. Lorsque je téléphonerai, je demanderai à maman de placer le récepteur contre ton oreille pour que tu entendes ma voix. »

Mais je n'en eus jamais l'occasion, car le lendemain de mon départ, Miracle avait disparu.

Ma mère m'annonça le nouvelle avec précaution, un tremblement dans la voix.

Miracle avait disparu. Il était parti de bon matin pour explorer le quartier en quête d'aventures canines, mais n'était pas revenu à la tombée du jour, comme à son habitude.

« Un accident? » demandai-je, la gorge serrée, le corps crispé par l'inquiétude.

L'ensemble des cliniques, des refuges et des vétérinaires de la ville avaient été appelés, de même que les postes de police, les casernes de pompiers et les services médicaux d'urgence.

Personne n'avait aperçu Miracle.

« Un vol? » suggérai-je.

Ma mère en doutait. Bien qu'il fût un beagle de race pure, Miracle était mâle et âgé de cinq ans. De plus, notre petite ville tranquille n'était pas exactement le genre d'endroit où les kidnappeurs de chiens rôdaient et exerçaient leur vilain commerce.

Alors qu'était-il arrivé à Miracle?

Personne n'y comprenait quoi que ce soit, dit ma mère.

Mais moi… j'avais le cœur brisé.

« Hé, vieux copain, chuchotai-je, nous formons une équipe toi et moi, tu te rappelles? Toujours, ça veut dire très longtemps. »

Pendant plusieurs semaines, je téléphonai à mes parents tous les jours pour savoir si on avait retrouvé mon chien. Mais les nouvelles n'étaient jamais bonnes, et « Pas encore, Johnny » se transforma bientôt en « Je ne crois pas qu'il soit encore vivant, mon fils. »

Je finis par cesser d'appeler.

Lorsque je revins à la maison à l'occasion de Noël, de Pâques et des vacances d'été, je fis mes propres recherches. J'explorai tous nos repaires de prédilection — un étang favori pour la pêche, un endroit préféré dans les bois, un vert pâturage où Miracle gambadait toujours avec joie –, mais je ne trouvai aucune trace de mon chien ni aucun indice concluant. Je parcourus les rues de ma petite ville, demandant avec inquiétude à toutes les personnes que je croisais : « Auriez-vous vu mon chien Miracle? »

Mais personne ne l'avait vu. « Pas depuis des mois », répondaient-ils tous.

« Je crois qu'il est temps d'accepter que Miracle est parti pour toujours, dit ma mère.

— Je ne peux l'accepter, répondis-je, car ce n'est pas vrai. »

Un an plus tard, j'étais dans ma chambre, au foyer d'étudiants de l'université, en train de penser à Miracle, lorsque mon compagnon de chambre me regarda d'un air perplexe.

« Quel est ce bruit? demanda-t-il, alarmé.

— Quel bruit? dis-je, l'esprit absent, perdu dans mes pensées et n'ayant rien entendu d'inhabituel.

— C'était comme… un grattement bizarre. Écoute, tu l'entends à présent? »

Je courus vers la porte et l'ouvris d'un mouvement brusque.

Il se précipita dans mes bras en poussant de petits cris plaintifs, et je le serrai de toutes mes forces. Il n'y avait plus de chair sur son ossature squelettique et ses poils étaient emmêlés et poussiéreux. Ses yeux étaient éteints et fiévreux, et sa démarche chancelante. Malgré les changements que toute une année à parcourir les routes avaient causés à son apparence, il n'y avait aucun doute : il s'agissait là de mon chien bien aimé.

« C'est ton chien, qui a disparu il y a un an dans le *Maine*? demanda mon compagnon de chambre avec incrédulité. C'est incroyable! Comment ce chien a-t-il pu parcourir des centaines de kilomètres sous toutes sortes de climats et survivre? Mais surtout, comment a-t-il pu retrouver ta trace à *Boston*? Ce n'est pas possible!

— Tout est possible, dis-je à voix basse.

— *Mon Dieu*, renchérit mon ami, c'est un miracle.

— Non, rectifiai-je doucement, *c'est* Miracle! »

$\mathcal{C}$ harlene Wheatley était vendeuse de cosmétiques chez Bloomingdale's. Affectée au comptoir des produits *Prescriptives* depuis neuf ans, elle avait vu défiler des milliers de visages et traité avec toutes sortes de clients en provenance de tous les coins du monde.

Un jour, une touriste se présenta à son comptoir. Comme sa belle-sœur était japonaise, Charlene reconnut immédiatement l'accent de ce pays et sut comment mettre sa cliente à l'aise en s'adressant à elle lentement et poliment.

« Puis-je vous aider? dit-elle doucement, en souriant et en s'inclinant.

— J'aimerais... soins... peau », dit timidement la cliente dans un anglais hésitant.

Soigneusement et patiemment, Charlene montra à la femme la gamme complète des produits *Prescriptives*, en expliquant les avantages de chacun. Bien que difficilement, les deux femmes réussirent à communiquer au moyen de mouvements de tête, de gestes et de sourires et en échangeant quelques paroles.

La courtoisie de la vendeuse impressionna visiblement la cliente, car celle-ci acheta de nombreux produits et remercia Charlene à plusieurs reprises. « Merci... merci... pour tout le temps que vous avez passé avec moi », dit-elle. Elle régla sa facture, s'inclina de nouveau en signe de gratitude puis s'en alla.

Charlene arborait toujours le sourire qu'avait provoqué cette rencontre lorsque la femme réapparut, une demi-heure plus tard. Elle avait décidé de faire une provision de produits de beauté avant de retourner au Japon. « Avec plaisir », dit Charlene en souriant. En rassemblant les articles demandés, Charlene se sentit suffisamment à l'aise avec sa cliente pour lui parler de sa belle-sœur japonaise. Il était rare qu'elle abordât quelque aspect que ce soit de sa vie privée avec sa clientèle, avec qui elle se bornait presque toujours à parler des produits.

« Ah oui? » répondit la femme avec surprise, levant les yeux. « Ah oui! dit Charlene en riant, encouragée par la réaction de son interlocutrice. Je connais même quelques mots en japonais, comme *Musashi*, qui signifie guerrier samouraï.» La cliente se mit à rire à son tour. Elle trouvait cocasse d'entendre un mot si familier prononcé par une Américaine.

« En fait, poursuivit Charlene, c'est le nom de mon neveu.» Emportée par son enthousiasme, elle avait oublié de parler lentement, et la femme eut l'air confus. « Neveu », répéta la vendeuse. Puis elle eut une idée : elle sortit de son sac à main une photographie de son neveu, un garçon au visage rayonnant âgé de huit ans.

« Voyez, c'est Musashi, mon neveu », dit Charlene en tendant la photographie à sa cliente, s'attendant à la voir sourire. Mais lorsque la femme posa les yeux de sur le cliché, son visage se crispa de surprise. Elle porta la main à sa bouche en laissant échapper un cri.

« Qu'y a-t-il? » s'écria Charlene.

Au son des éclats de voix, les clients et le personnel se tournèrent en direction des deux femmes, pendant que la cliente s'exclamait : « Pas possible! Pas possible!… »

« Mais dites-moi ce qui se passe! Qu'y a-t-il? » insista Charlene. La femme finit par reprendre ses esprits et s'expliquer. « Ce garçon, dit-elle en indiquant la photo du doigt, *est filleul de moi!* »

En faisant de son mieux pour trouver les mots, elle tenta d'expliquer que la mère de l'enfant, la belle-sœur de Charlene, avait été sa meilleure amie au Japon. Sa famille avait déménagé des années auparavant et les deux femmes s'étaient perdues de vue au fil des ans. En fait, elle était venue à New York dans l'espoir de la retrouver.

« Merci! » dit-elle avec un sourire qu'aucun rouge à lèvres n'aurait pu rendre plus radieux. « Merci! »

Quelques heures plus tard, les deux amies ainsi que la marraine et son filleul furent réunis.

Commentaire

Il existe d'une nation à l'autre un lien qui réunit les cœurs.

$\mathcal{T}$ommy Hoyt* entendit les cris avant même d'apercevoir la bagarre. Puis il comprit que les mouvements agités que son cerveau avait vaguement enregistrés une seconde auparavant n'étaient pas une discussion animée, comme il l'avait d'abord cru, mais une furieuse bataille. En effet, à l'autre bout du wagon de métro, un homme tentait d'arracher le pendentif en or que portait au cou un jeune femme au visage angélique et aux yeux de saphir remplis d'épouvante.

Tout les gens qui se trouvaient dans le wagon semblaient pétrifiés. Plus tard, Tommy se dit que ce que certaines personnes attribuent à tort à l'apathie constitue en fait une sorte d'état de choc collectif. Tous les occupants étaient comme paralysés, immobilisés dans une sorte d'arrêt sur image au ralenti. Loin d'être indifférents, ils étaient tout simplement incapables de réagir.

Tommy fut le premier à retrouver ses esprits. Il s'extirpa de sa torpeur et se dirigea vers la jeune fille, qui tentait toujours d'échapper à son agresseur et refusait courageusement (ou déraisonnablement) de céder son collier. « Si seulement je pouvais arriver à eux avant que l'homme ne réussisse à le lui soutirer », pensa-t-il, bousculant la horde d'usagers qui lui bloquaient le passage. Arrivé à quelques mètres seulement de l'échauffourée, il vit le voleur arracher d'un coup sec le bijou convoité du cou de la jeune fille. Puis, comme le train venait de pénétrer dans la station, le filou put s'élancer sur le quai par la porte qui s'ouvrait.

« À l'aide! » cria faiblement la victime.

Tommy se précipita à l'extérieur du wagon à la poursuite du voleur. Il le rattrapa à l'extrémité du quai et le plaqua au sol, puis réussit à lui arracher le pendentif des mains. Malheureusement, l'escroc réussit à se dégager et à s'enfuir. « J'ai au moins pu reprendre le collier, pensa Tommy avec satisfaction, même si le malfaiteur s'est enfui. »

Tommy se demandait comment la blonde jeune femme à l'air angélique allait réagir lorsqu'il retournerait victorieusement dans le wagon, en tenant fièrement à la main le collier récupéré de haute lutte.

Mais il ne le saurait jamais, car en se dirigeant vers le train, il constata que celui-ci avait déjà quitté la station.

« Pourquoi n'a-t-on rien fait pour arrêter le train pendant que je poursuivais le voleur? se demandait-il, n'y comprenant rien. Les gens n'ont-ils pas vu ce que j'étais en train de faire? Se pourrait-il que la jeune fille ne sache même pas que j'ai essayé de récupérer son pendentif? »

Tommy était abattu. Il s'était donné tout ce mal, allant même jusqu'à mettre sa vie en danger, et il semblait que dans tout ce brouhaha, personne ne s'était aperçu du geste qu'il avait posé.

« Qu'est-ce que je fais maintenant? » se demanda-t-il.

Il décida de rester encore un peu sur le quai du métro au cas où la jeune fille aurait remarqué son action héroïque et déciderait de revenir à la station pour le remercier et lui demander ce qui s'était passé.

Il attendit pendant une bonne heure, mais en vain, et finit par conclure que la jeune fille n'avait pas eu connaissance de sa galante démarche.

« Me suis-je donné tout ce mal pour rien? se demandait-il, découragé. Et que dois-je faire avec le collier? Le remettre à la police? » Il secoua la tête. « Elle ne sait même pas que quelqu'un a récupéré son bijou, alors pourquoi irait-elle à la police? Non, ce n'est pas une bonne idée… »

Pour une raison qu'il ne pouvait s'expliquer, Tommy décida de conserver le collier et de le garder en tout temps dans la poche de son manteau.

Chaque fois que ses doigts entraient en contact avec l'objet, comme cela arrivait de temps à autre, il revoyait avec clarté ce visage angélique aux yeux de saphir remplis de peur.

Trois années plus tard, Tommy entra dans un bar situé au cœur de Manhattan et aperçut la jeune femme. Le visage angélique et les yeux de saphir étaient reconnaissables entre tous, et il sut immédiatement que c'était elle. Elle était perchée sur un tabouret près du bar, remuant sa consommation, perdue dans ses pensées, attendant vraisemblablement quelqu'un.

« Peut-être est-ce moi qu'elle attend », pensa-t-il bêtement, sentant son cœur se tordre.

« Je n'ai pas l'intention de vous faire des avances, dit-il rapidement en prenant place sur le tabouret voisin du sien. Je désire plutôt vous remettre quelque chose qui va vous *remonter*.

— Me remonter? demanda-t-elle, plissant avec étonnement son nez couvert de taches de rousseur. Que voulez-vous dire?

— Je veux dire, dit-il triomphalement en sortant le pendentif en or de la poche où il était demeuré pendant toutes ces années, que la vue de ce bijou vous remontera certainement le moral! » Puis, d'un grand geste théâtral, il lui remit le collier d'un air satisfait, pendant qu'elle le regardait, pantoise.

Conformément à ce qu'il s'était dit dans la station de métro trois années auparavant, au milieu du chaos et de la commotion causés par le vol, personne — pas même elle — ne l'avait vu bondir hors du wagon sur les talons du voleur. Personne — pas même elle — ne savait que le collier avait été repris des mains du filou. Et personne n'aurait pu être aussi reconnaissante et surprise qu'elle.

« Il appartenait à ma grand-mère, expliqua-t-elle. Plus que tout, il a une valeur sentimentale… Dites-moi, lui demanda-t-elle doucement, que puis-je vous donner pour vous récompenser?

— Que diriez-vous si nous sortions ensemble? demanda Tommy.

Aujourd'hui, ils sont mariés depuis cinq ans, et Tommy a raconté leur histoire l'année dernière dans le cadre d'une émission de radio à l'occasion de la Saint-Valentin, diffusée par une station locale de l'État de New York.

En parlant de la coïncidence qui les a réunis, Tommy a dit : « Elle a peut-être récupéré son collier, mais c'est moi qui ai trouvé un trésor! »

Commentaire

Les petits gestes sont la semence des grands miracles.

*O*lga Whittaker et John Kane, qui ne s'étaient jamais rencontrés avant le mardi 6 mai 1997, virent leurs chemins se croiser dans une bijouterie de Miami. S'agissait-il d'un coup du destin, d'une coïncidence ou de quelque chose d'autre?

Kane, 45 ans, de Fort Lauderdale, essayait de vendre une montre Rolex, pendant que Whittaker, 36 ans, de West Palm Beach, le regardait attentivement. Puis elle se mit à crier et s'agrippa à lui. Alarmé, le bijoutier verrouilla la porte.

« J'ai prié Dieu pour qu'Il te tue, mais au lieu de cela il t'a livré entre mes mains! » s'écria Whittaker.

La Rolex, déclara-t-elle, avait été dérobée le dimanche précédent à son mari, John K. Whittaker. Responsable d'un stand de bijouterie dans une exposition d'antiquités à West Palm Beach, ce dernier avait enlevé sa montre et l'avait déposée à un endroit qu'il croyait sûr. Grave erreur.

Les Whittaker avaient cru que la montre était perdue à jamais, jusqu'à cette prodigieuse coïncidence de mardi.

Olga, qui se trouvait à Miami pour un examen médical, alla faire du lèche-vitrines à l'édifice Seybold, un grand bâtiment du centre-ville voué au commerce des bijoux.

Lorsque les agents de police arrivèrent sur les lieux, Whittaker, le bijoutier et quelques autres personnes gardaient Kane à vue dans la boutique. Le porte-parole de la police, Delrish Moss, déclara qu'un couteau à ouverture automatique avait été trouvé dans la poche de l'homme, que celui-ci possédait un casier judiciaire et que des mandats d'arrestation pour vol avaient été émis contre lui.

Comment Olga Whittaker avait-elle pu le trouver? Un miracle, jure celle qui possède autant de flair qu'un policier pour détecter les individus louches.

« Il se trouvait à l'exposition d'antiquités, dit-elle. Il est venu à notre stand à trois reprises, s'informant sur le prix d'un bijou, puis sur celui d'un autre. Il était très pâle et très nerveux, tout comme aujourd'hui. »

Elle reconnut également la montre, mais la police avait besoin d'une preuve. Son mari apporta donc au poste de West Palm Beach les documents d'achat de la montre, puis ceux-ci furent envoyés à Miami par télécopieur. Il fut ainsi établi que son épouse avait acheté la montre Rolex en 1990 pour la somme de 3 200 $.

Olga Whittaker déclara que depuis quelque temps, elle priait pour obtenir un signe prouvant l'existence de Dieu. « C'est un signe sans équivoque », dit-elle à M. Moss.

Kane aurait également fait à M. Moss la remarque suivante : « Savez-vous pourquoi j'ai été arrêté?

— J'aimerais bien le savoir », répondit l'agent, s'attendant à une réponse profonde et réfléchie. Ce à quoi le suspect répliqua : « Manque de chance, j'imagine. »

— *Arnold Markowitz*

Commentaire

Les coïncidences ne résultent pas d'un manque de chance, mais constituent plutôt une invitation à regarder à l'intérieur de soi pour comprendre quel est ce « manque » qui empêche d'avoir de la « chance ».

$\mathcal{J}$amey Martinez et Leslie Duncan étaient les meilleures amies au monde. Même lorsque Leslie changea d'école en dixième année, les deux jeunes filles demeurèrent proches en s'écrivant de nombreuses lettres remplies de confidences sincères et de savoureux commérages. Les journées de Jamey s'ensoleillaient immanquablement lorsqu'elle apercevait dans sa boîte aux lettres le bleu familier des enveloppes de Leslie.

Mais un jour froid d'automne, Jamey apprit qu'elle n'échangerait plus jamais d'histoires avec Leslie. Une amie commune et camarade de classe lui apprit la terrible nouvelle, à l'école. « Jamey, es-tu au courant à propos de Leslie? » demanda Brenda Shwartz, d'un ton très affligé.

« Au courant de quoi? » répondit Jamey.

Brenda, qui avait grandi avec les deux inséparables amies, sembla surprise que Jamey n'ait pas appris la nouvelle. Bégayant et balbutiant, elle réussit enfin à dire : « Leslie est morte hier soir.

— Mais bien sûr, répondit Leslie d'un ton sarcastique, ha, ha, ha.

— Non, je suis sérieuse! » dit solennellement Brenda.

Jamey connaissait très bien son amie Brenda, et elle détecta une gravité dans le ton de sa voix qui lui fit réaliser qu'elle pourrait bel et bien dire la vérité. Les paroles de Brenda se frayaient maintenant un chemin dans son esprit.

« Non! s'écria-t-elle, ça ne se peut pas! » À court de mots, Brenda se contenta de hocher la tête.

Jamey se précipita chez elle et téléphona à la mère de Leslie. « Est-ce vrai? dit-elle, essayant de contenir ses émotions. Leslie nous a-t-elle quittés? » Il y eut une longue pause, ponctuée par les sanglots de la mère de Leslie, à l'autre bout du fil. « Oui, répondit cette dernière, d'une voix étouffée par le chagrin. Leslie m'a dit qu'elle ne se sentait pas bien lorsqu'elle est rentrée à la maison. Puis elle est montée se coucher et ne s'est plus réveillée. »

Jamey sentait qu'elle nageait dans une mer de confusion. Les choses prirent un caractère surréel. Elle voulait en savoir plus et n'acceptait pas la mort de son amie. À un certain moment, elle remarqua la pile de courrier arrivé le matin même. Parmi les factures et les lettres adressées à ses parents se trouvait une enveloppe d'un bleu familier. Une lettre de Leslie.

Jamey décacheta l'enveloppe en tremblant. Elle espérait que la lettre contiendrait un indice, un renseignement qui pourrait expliquer le mystérieux décès de Leslie. Mais elle ne trouva rien de tel, seulement les nouvelles habituelles : d'abondants commentaires sur les cours qu'elle suivait, les activités qu'elle pratiquait avec ses amis et les endroits qu'elle avait visités.

Et, bien sûr, les garçons. « Je veux que tu rencontres ce garçon, pouvait lire Jamey dans la dernière partie de la lettre. Nous sommes sorties ensemble à quelques reprises… » Mais elle interrompit sa lecture avant la fin. Toutes ces choses lui semblaient maintenant sans importance. Elle plia la missive et la plaça dans la pile contenant les autres lettres de son amie, qu'elle conservait précieusement. Le lendemain, elle assista aux funérailles de Leslie.

Au cours des quelques mois qui suivirent, Jamey trouva réconfort dans la confection d'un album comprenant des photos, des lettres et d'autres souvenirs, afin de conserver vivante la mémoire de son amie décédée. Puis les jours firent place aux années et Jamey, devenue adulte, feuilletait de moins en moins souvent l'album, tout en ayant constamment conscience de son existence. Elle avait un vide au cœur qu'elle arrivait mal à combler. Lorsque, au début de la vingtaine, elle rencontra un homme qui lui procura le même genre de bonheur que celui qu'elle avait connu avec son amie disparue, elle s'en estima grandement heureuse. Ils se marièrent et emménagèrent dans une nouvelle maison.

Au cours du déménagement, Jamey retrouva l'album. Au lieu de le mettre simplement de côté, elle l'ouvrit, puis se laissa revenir en arrière, souriant à la vue des photos et relisant certaines des lettres.

Tendrement, elle prit entre ses mains la dernière lettre qu'elle avait reçue de Leslie. Le papier était froissé et s'effritait légèrement. Cette fois, elle lut la lettre lentement, afin d'en savourer les moindres mots, et pour la première fois, elle prit connaissance de la dernière partie, qu'elle avait sautée dix années auparavant.

« Je veux que tu rencontres ce garçon. Nous sommes sortis ensemble à quelques reprises, pouvait-elle lire. Il est vraiment bien, et il te plaira, je le sais. Je voudrais que nous soyons tous amis. Il s'appelle Eric Knorr. »

En lisant le nom, elle porta la main à sa bouche et laissa échapper un cri. L'homme qui avait conquis son cœur, qui partageait son foyer et qu'elle avait épousé... était Eric Knorr.

La tombe de Leslie se trouve à environ un kilomètre du domicile de Jamey et d'Eric. Le couple la visite régulièrement pour y déposer une couronne de fleurs, afin d'honorer la mémoire de leur amie et lui témoigner leur gratitude. En effet, ils croient que le souhait de Leslie a contribué à les réunir.

Commentaire

L'amour est le lien qui unit le passé, le présent et l'avenir, en un lien éternel qui résiste à l'épreuve du temps.

$\mathcal{P}$our se protéger des frappes aériennes, lors de la guerre du Golfe, à l'époque où planait au-dessus de l'État d'Israël, comme un brouillard dense et sinistre, la menace d'attaques chimiques et biologiques — rendues possibles par des dispositifs provenant des usines de mort de Saddam Hussein –, les citoyens de ce pays furent enjoints d'aménager une pièce « scellée » dans leur foyer, où ils pourraient se réfugier lorsque tomberaient les missiles Scud.

Presque tous les habitants d'Israël comprenaient le grave danger qu'ils couraient et l'univers de cauchemar dans lequel ils étaient en train de basculer. Ils prenaient au sérieux les menaces de Hussein de même que les pires prédictions, et la plupart d'entre eux stockèrent dans leur pièce « scellée » d'importantes quantités de nourriture, de médicaments, de vêtements, de meubles, de livres, de jouets pour les enfants et d'autres accessoires essentiels. D'autres, par contre, plus optimistes, n'équipèrent pas leur pièce aussi adéquatement qu'ils auraient dû.

La famille de Ben Simone* faisait partie de cette très petite minorité. Leur refuge était dépourvu de beaucoup d'éléments essentiels, notamment de meubles. Lorsque la sirène retentit pour la première fois à Tel-Aviv, indiquant l'imminence d'une attaque, la famille, qui était nombreuse, se précipita dans la pièce, incrédule et en état de choc. Le seul meuble qui s'y trouvait était un fauteuil, et presque tous s'installèrent sur le sol. Deux personnes restèrent debout : le vieux grand-père et sa petite-fille, une jeune femme enceinte de neuf mois. Ils considérèrent tous deux l'unique fauteuil, puis se regardèrent.

« Grand-père, insista la jeune femme, je vous en prie, asseyez-vous.

— Il n'en est pas question, mon cher trésor, ma petite-fille, répondit le vieil homme. Assieds-*toi*.

— Jamais de la vie! Je refuse catégoriquement! S'il vous plaît, asseyez-*vous*.

— Moi, m'asseoir, alors que ma petite-fille, enceinte de neuf mois, à la veille d'accoucher, restera debout? Jamais!

— Eh bien, grand-père, vous feriez bien de vous asseoir, parce que je refuse catégoriquement de prendre *votre* fauteuil! »

Il en fut ainsi pendant plusieurs minutes. C'était une véritable impasse, les deux entêtés se renvoyant la balle, refusant de céder, pendant que la chaise demeurait vide.

Et tant mieux! En effet, pendant qu'ils parlaient, quelque chose tomba sur le toit en faisant un bruit retentissant, et un gros morceau de missile Scud non explosé traversa le plafond et s'abattit sur le fauteuil inoccupé.

Commentaire

Lorsque l'amour, le respect et la considération régissent nos rapports avec les autres, nous sommes entourés d'une lumière protectrice.

« **Ê**tes-vous mon père? »

L'adolescente, sans préambule ni explication, lançait cette question à la figure de tous les hommes d'âge mûr qu'elle croisait. Elle courait frénétiquement d'un bout à l'autre du cimetière, comme une possédée.

C'était la fête des Pères et une foule de gens déambulaient le long des chemins labyrinthiques, cherchant à trouver la sépulture où ils désiraient aller se recueillir. L'atmosphère avait été sereine et paisible jusqu'à ce que la jeune détraquée fasse sont entrée, quelques minutes plus tôt. Ses cris désespérés et son comportement bizarre en exaspéraient plus d'un, qui la considéraient avec un regard inquiet.

Dès son arrivée au cimetière, la jeune fille s'était mise à aborder des étrangers un à un, et à leur demander d'un ton enfiévré s'ils étaient son père. Chaque fois qu'un passant lui répondait « non » de la tête — certains pensivement, d'autres l'air agacé –, elle tournait les talons et poursuivait son manège.

« Êtes-*vous* mon père? » demandait-elle, se précipitant d'un homme à l'autre dans un état proche du délire.

« Que c'est étrange, chuchota une femme à son mari.

— Elle doit avoir pris de la drogue, pauvre enfant, répondit-il à voix basse.

« Elle a perdu la tête! » s'exclama emphatiquement une autre femme.

Mais contrairement aux remarques tranchées des spectateurs, la jeune fille n'était ni droguée ni folle.

Elle avait été adoptée à la naissance, et l'identité de ses parents biologiques avait été gardée secrète. Mais depuis la mort tragique de ses parents adoptifs dans un accident de la route, l'année précédente, elle s'était désespérément lancée dans des recherches pour retrouver ses vrais parents. Tout ce qu'elle avait pu apprendre de l'agence d'adoption était que sa mère naturelle était également morte récemment et qu'on ne savait rien de son père.

Mais quelque part dans le cimetière, un homme attendait. Appuyé contre un vieux chêne, il examinait attentivement la foule.

Il attendait qu'une adolescente vienne vers lui et lui demande :
« Êtes-*vous* mon père? »

Il n'avait pas l'habitude de prendre ses rêves au sérieux, mais il avait cherché sa fille pendant des années, sans succès. Or la nuit précédente, un saint homme au visage lumineux, à la longue barbe blanche et aux yeux perçants lui était apparu dans son sommeil, et lui avait transmis un message.

Il lui avait dit de se rendre à ce cimetière.

Et d'attendre.

Il vit une jeune fille dévaler le chemin en abordant des inconnus, et ses muscles se tendirent. Était-ce elle?

« Êtes-*vous* mon père? » demanda-t-elle, la voix teintée de désespoir. Elle avait parcouru tout le cimetière et commençait à perdre espoir.

« Es-*tu* ma fille? » répondit-il tendrement.

« C'est vous, alors. » Elle hésita pendant quelques secondes, regardant avec un intérêt profond les yeux couleur de noisette de l'étranger, en tous points semblables aux siens.

Plus tard, beaucoup plus tard, il lui demanda ce qui l'avait menée au cimetière et pourquoi elle avait pensé venir le chercher dans cet endroit.

« Je ne crois pas vraiment à ce genre de choses, répondit-elle lentement, mais la nuit dernière un homme est apparu dans mon sommeil et m'a dit de me rendre à ce cimetière aujourd'hui. Il m'a assurée que je vous y trouverais. Et comme j'avais tout tenté pour vous retrouver, j'étais prête à essayer n'importe quoi. Et c'est ce que j'ai fait.

— Dis-moi, demanda le père avec instance. Quelle était l'apparence de cet homme?

— Eh bien, euh, il dégageait une sorte d'aura rayonnante et avait le visage vraiment radieux, vous comprenez? Et il avait des yeux incandescents. Et, euh, ah oui… il avait également une longue barbe blanche.

— Est-il venu te rendre visite à environ deux heures du matin?

— Oui, c'est bien ça, répondit la jeune fille avec étonnement. Je me suis réveillée juste après le rêve — cette apparition m'avait fait peur — et j'ai regardé le réveil posé sur ma table de chevet. Mais… comment savez-vous cela?

— Ma chérie, dit doucement le père, cet homme m'est également apparu hier soir, à la même heure exactement. Je le sais parce que je me suis aussi réveillé après ce rêve et que j'ai regardé ma montre. Et il était… tout comme pour toi… deux heures du matin.

— *Norman Kelbalkan*

«*A*vez-vous de l'expérience dans le domaine des télécommunications? » s'enquit Joie Giese à la personne qui postulait l'emploi.

« Oui, très certainement », répondit Merrilee Woeber, essayant de mettre ses atouts en valeur.

« Pourriez-vous m'indiquer les endroits où vous avez travaillé et les fonctions que vous y avez exercées? » demanda Joie.

Merrilee décrivit ses antécédents professionnels pendant que Joie écoutait attentivement. Occupant le poste de superviseur au sein de l'entreprise Network MCI Conferencing, Joie était fière du milieu de travail dynamique et amical qu'elle avait créé. Responsable de plusieurs projets de l'entreprise, elle cherchait à recruter les hommes et les femmes les plus compétents, et dont l'apport contribuerait à faire fructifier la philosophie qu'elle tentait de favoriser au travail.

C'est donc sans hésiter que Joie décida d'engager Merrilee. Intelligente et consciencieuse, Merrilee avait exactement les compétences recherchées. De plus, elle possédait une attitude très constructive, et Joie prolongea même la période allouée à l'entrevue simplement pour le plaisir de converser avec cette candidate au tempérament agréable.

Joie mit fin à l'entrevue en prononçant les mots exacts que Merrilee souhaitait entendre : « Bienvenue à bord! »

Merrilee commença à travailler presque immédiatement. En plus d'être collègues de travail, les deux femmes devinrent bonnes amies. Elles découvrirent qu'elles avaient des goûts étrangement similaires. « J'adore ton ensemble », dit un jour Joie en croisant Merrilee dans un couloir.

« Merci », répondit celle-ci. Quelques jours plus tard, ce fut au tour de Merrilee d'adresser un compliment à son amie. « Quelle robe superbe! » s'exclama-t-elle. « Oh, merci bien », répondit Joie. Les deux femmes avaient ce genre d'échange régulièrement.

« Regarde », dit Merrilee en plaçant sa bague à côté de celle de Joie, qui s'en trouva interloquée. Elles éclatèrent de rire. Parmi l'immense variété de bagues de diamant offertes sur le marché, elles avaient toutes deux choisi des bagues en or jaune serties de petits diamants tout autour de l'anneau et d'un autre, plus gros, au centre.

Un an après avoir été engagée, Merrilee fut promue au poste de superviseur, et son bureau se trouvait maintenant à portée de voix de celui de Joie. Un après-midi qu'elle travaillait à ses dossiers, elle entendit Joie converser avec des collègues pendant la pause. Il n'y avait pas de sujet de conversation précis. Une collègue dit avoir le teint d'une femme d'origine italienne. Joie, qui avait le teint clair, dit sarcastiquement, en guise de plaisanterie : « Ouais, moi aussi. »

Puis Joie mentionna quelque chose que Merrilee ignorait : elle avait été adoptée, et ne savait que très peu de choses à propos de ses parents biologiques. Les gens qui connaissaient Joie savaient tous qu'elle aimait profondément ses parents adoptifs pour la vie remplie de bonheur qu'ils lui avaient procurée.

« Sais-tu quelle est ta nationalité? » demanda l'Italienne. « Je crois que je suis Irlandaise, répondit Joie. La seule chose que je sache à propos de ma mère biologique est son nom. Elle s'appelle Dunne, un nom irlandais. »

C'est à ce moment que Merrilee arrêta de dactylographier, envahie par la curiosité. Elle se leva et se dirigea droit dans le bureau de son amie. « J'ai pris le nom de mon époux lorsque je me suis mariée, mais mon nom de jeune fille est Dunne », dit-elle. Puis elle ajouta avec une lueur d'espoir dans les yeux : « Peut-être sommes-nous cousines. Où es-tu née?

— Ici, à Davenport, répondit Joie.

— Je viens d'ici moi aussi, dit Merrilee en sourcillant. Quelle est ta date de naissance?

— 1946, dit Joie.

— Et moi je suis née en 1945!

Merrilee et Joie ressentaient un enthousiasme croissant. Elles avaient le sentiment d'être sur une piste prometteuse.

« Connais-tu le nom entier de ta mère biologique? demanda Merrilee.

— Lenore Dunne.

— NON! » Merrilee ne pouvait en croire ses oreilles. « Es-tu certaine de ne pas avoir vu ce nom dans mon dossier?

— Bien sûr que non! lui assura Joie. C'est le nom qui figure sur mes documents d'adoption. »

À ce moment là, tous les gens présents dans la pièce eurent la sensation que quelque chose de singulier était en train de se produire. Par courtoisie et par respect, ils sortirent du bureau un à un. Merrilee et Joie se retrouvèrent donc face à face, seules.

Cet après-midi-là, Joie se précipita à la banque pour aller chercher, dans son coffre-fort, les documents d'adoption qu'on lui avait fait parvenir lorsqu'elle avait atteint l'âge de dix-huit ans. Au même moment, Merrilee chercha un exemplaire de la signature de sa mère, maintenant décédée. Puis les deux femmes se rencontrèrent, placèrent les deux signatures côte à côte et poussèrent à l'unisson un cri rempli d'émotion.

C'était une preuve indubitable. Il n'était pas surprenant qu'elles eussent tant de choses en commun et senti dès le début qu'un lien les unissait. Plus que simplement apparentées, elles étaient sœurs.

Elles étaient nées de la même mère, Lenore Dunne. Celle-ci avait eu deux filles : elle en avait placé une en adoption et avait élevé l'autre. Aucune des deux sœurs ne connaissait l'existence de l'autre, jusqu'au jour, plus de cinquante années après leur naissance, où elles se retrouvèrent en travaillant côte à côte.

Commentaire

Pour trouver le plus beau des trésors, il n'est parfois pas nécessaire de parcourir toute la planète.

$\mathcal{D}$awn Weiss se réveilla soudainement, baignée de sueurs froides. Entourée de sa famille et de ses amis, elle occupait un emploi permanent et habitait un appartement confortable. Elle n'avait donc aucune raison d'avoir peur. Cependant, tôt ce matin de janvier 1994, l'univers douillet qu'elle avait connu jusque-là sembla littéralement s'écrouler autour d'elle. En premier, cela lui fit penser à l'époque où elle était alcoolique. Son lit s'était mis à trembler et les murs à craquer. Mais elle avait cessé de boire et savait très bien qu'il ne s'agissait pas des effets de la gueule de bois. Le bruit était assourdissant. Ce que Dawn ne pouvait savoir, c'était que Northridge, en Californie, et sa région environnante étaient en proie à un énorme tremblement de terre.

Elle se dressa subitement sur son séant. Ses premières pensées furent pour son chat angora gris bien-aimé, Harley. « Harley! » cria-t-elle. Mais le sol valsait littéralement sous elle. Sans perdre une minute, elle bondit hors de son lit. « Tout est en train de s'écrouler! » s'écria-t-elle pendant que de gros morceaux de plâtre tombaient du plafond. Son instinct lui dit qu'elle n'avait pas suffisamment de temps pour trouver Harley et qu'elle disposait d'à peine quelques secondes pour sauver sa propre vie. Elle n'avait même pas le temps de s'habiller.

Elle réalisa soudain qu'il existait un moyen simple et facile de s'échapper de son appartement, qui se trouvait au deuxième étage. Elle courut immédiatement vers la fenêtre ouverte, puis s'agrippa sans attendre à la grosse branche d'arbre qui se trouvait à sa portée.

Pendant que le bâtiment continuait à trembler, elle se pendit à la branche, qu'elle agrippa à deux mains. Puis, avec précaution mais très fébrilement, elle descendit en tâtonnant entre les branches jusqu'à la terre ferme.

Le tremblement de terre ne semblait pas vouloir s'arrêter et, dans les premières heures sombres de l'aube, un grondement se fit entendre dans toute la région. Dawn avait l'impression que le cataclysme engouffrait le sol qui l'entourait. Au moment où elle se précipitait vers sa voiture, son appartement s'effondra comme une pile de blocs à jouer. Un vaste cratère perfora le stationnement et avala tous les véhicules qui s'y trouvaient. Les voisins qui avaient réussi à quitter leur demeure se tenaient ensemble, en état de choc et tentant de se réconforter les uns les autres. Au milieu de ce pandémonium, Dawn aperçut Harley le chat. Elle se précipita vers lui, le serra dans ses bras et ne le lâcha plus.

Dans l'obscurité — enjambant les débris de toutes sortes et les lignes d'électricité sectionnées — et tenant Harley serré contre elle, Dawn parcourut une distance de plus de un kilomètre pour se rendre chez une amie. Inquiètes, elles se mirent toutes deux à explorer les environs à la recherche de leurs proches. Leurs efforts furent récompensés. Deux jours plus tard, Dawn avait retrouvé tous ses amis, ses parents et les membres de sa famille. Incroyablement, tous étaient sains et saufs.

Pendant les deux semaines qui suivirent, les répliques sismiques empêchèrent quiconque de faire confiance en la stabilité du sol. Dawn voulait croire que le pire était passé et qu'une chose pareille ne se reproduirait plus jamais. Mais une autre secousse faisait trembler la terre encore une fois. Quand cela finirait-il? Au bout de la première semaine, Dawn avait les nerfs à vif et elle était devenue anxieuse et craintive, craignant une secousse supplémentaire.

« Il faut que je parte, papa, dit-elle à son père. Je ne peux plus continuer à vivre comme ça.

— Mais, Dawn, la suppliaient ses parents, tous les gens que tu connais vivent ici. Tu peux habiter ici avec nous jusqu'à ce que tu aies repris ta vie en main. Où iras-tu? Et que feras-tu? »

Envahie par de nombreuses émotions contradictoires, Dawn regarda ses parents et leur dit simplement : « Il faut que je parte. Je dois quitter cet endroit qui me rend folle. »

Dawn et ses parents réfléchirent en silence. Puis son père lui demanda de nouveau, doucement : « Où iras-tu?

— J'ai décidé d'aller à Nashville.

— Au Tennessee? demanda son père, incrédule. Je ne te comprends pas. Tu connais des gens là-bas? Pourquoi as-tu choisi Nashville? »

Dawn demeura pensive pendant un moment. « Je ne suis pas certaine, papa. Tous ces événements m'ont abattue, et je ne me sens plus en sécurité ici. Tout ce que je sais, c'est que je veux aller quelque part — à n'importe quel endroit où je me sentirai en sécurité. Voilà ma destination. »

Son père était visiblement triste. « Dawn, supplia-t-il, tu parlais exactement comme ça lorsque tu buvais. Tu ne connais personne à Nashville! Ton choix me semble irrationnel. Ici, en Californie, tu as ton réseau d'amis des Alcooliques anonymes. Dawn, es-tu en train de revenir à ton ancien comportement? Est-ce de l'autodestruction?

— Je ne fais pas de rechute, papa, répondit Dawn. Je dois simplement quitter cet endroit malsain, et c'est Nashville que j'ai choisi. » Son père vit que rien ne pourrait dissuader sa fille. Il n'ajouta plus rien sur le sujet et se contenta d'espérer en silence qu'elle revienne un jour.

Dawn apprit peu après que ses amis les plus proches avaient eux aussi décidé de quitter la Californie. Chacun s'était réinstallé dans un nouvel endroit. Avec un mélange de tristesse et d'excitation, elle dit au revoir aux membres de sa famille et à ses amis, puis, accompagnée de Harley, entreprit son voyage vers l'inconnu.

Au début de sa nouvelle vie à Nashville, Dawn craignit d'épuiser rapidement ses réserves d'argent. Elle accepta donc le premier emploi qu'on lui offrit, à titre de serveuse dans un restaurant-bar de style western appelé Long Horn Steaks. Elle choisit le quart du soir pour être en mesure de suivre des cours à l'université d'État Middle Tennessee. En effet, depuis quelques années, elle caressait le rêve d'obtenir un diplôme en communications, et elle avait maintenant le temps de le réaliser.

Puis, à sa troisième semaine à Nashville, son passé — comme l'avait fait le tremblement de terre — fit s'écrouler son univers.

Le sentiment d'enthousiasme que sa nouvelle existence lui avait procuré avait disparu. En regardant sa vie, Dawn fut soudain frappée par l'ampleur du désastre. « Je ne peux pas y croire! criat-elle, s'adressant à elle-même. Le tremblement de terre! Tous mes amis qui sont partis! Je me trouve dans un endroit nouveau où je ne connais personne! Tout ce que j'ai connu — tout ce qui me sécurisait et qui m'était familier — n'existe plus! » Elle ne trouvait plus aucun réconfort dans sa nouvelle vie, et éprouvait un terrible sentiment de perte.

Douloureusement seule face à elle-même, elle s'adressa à Dieu. « Je me suis abstenue de boire pendant trois ans! J'ai été si sage. Je n'ai pas bu une goutte d'alcool durant tout ce temps. Estce là ma récompense pour mes efforts soutenus? Dois-je perdre la maîtrise de ma vie encore une fois? » Dawn éprouva cette trop familière envie de boire, qui l'horripilait. Elle était envahie par la tristesse et par une profonde douleur. Membre des Alcoolique anonymes depuis plusieurs années, elle savait ce qu'elle devait faire dans ce genre de situation. Elle n'avait qu'à décrocher le récepteur et à appeler à l'aide. Elle savait également que si elle prenait contact avec les Alcooliques anonymes, elle trouverait une personne pleine de compassion prête à l'écouter, qui la comprendrait et qui lui fournirait tout le soutien dont elle avait besoin.

Dawn savait tout ça, mais au point où elle en était, la seule chose qu'elle désirait était une bouteille d'alcool pour noyer sa peine. Elle aspirait à se perdre dans un sombre brouillard qui lui ferait tout oublier.

Chaque soir, alors qu'elle aurait dû se concentrer sur son travail, Dawn éprouvait une envie de plus en plus forte de boire. Elle croyait que l'alcool l'aiderait à ne plus penser à sa vie, qui lui était trop difficile à supporter. Elle regardait, avec un sentiment qui ressemblait à de l'envie, les clients assis au bar qui conversaient avec exubérance, et n'en avait que davantage envie de se saouler.

« C'est décidé, déclara-t-elle un vendredi soir en se rendant au travail. Cette fois je vais prendre une consommation. » Dawn se dit qu'il y aurait davantage de clients que d'habitude ce soir-là, et qu'elle pourrait ainsi passer inaperçue. Elle entra dans le restaurant par la porte de derrière et se dirigea directement vers la toilette des dames. Là, elle éclata en sanglots. Elle en avait assez d'essayer de rencontrer de nouvelles personnes, mais refusait l'aide de celles qui pourraient la comprendre. Une fois de plus, elle se tourna vers Dieu.

« Comment faire? dit-elle à plusieurs reprises. J'ai parrainé trois personnes, qui elles-mêmes en avaient parrainé d'autres. J'ai fait du travail bénévole dans une prison pour femmes, afin d'aider les femmes enceintes et leurs enfants. J'ai entrepris le programme des Alcooliques anonymes en étant loin d'avoir tout perdu — contrairement à d'autres qui décident de cesser de boire parce qu'ils n'ont plus d'autre issue. J'étais une personne honnête et cultivée, qui aimait voyager. J'avais étudié dans les meilleures écoles, mes parents m'aimaient, j'occupais un emploi stimulant et me déplaçais en voiture. Je ne suis pas censée être atteinte de cette maladie! Et cette vie horrible à Nashville, c'est ça ma récompense? Je n'ai même pas d'album de souvenirs! Je n'ai rien! Je me sens si abandonnée! Jusqu'à quand pensez-vous que je sois capable d'endurer tout ça? Je veux un verre d'alcool, et tout de suite! »

Soudain, la porte de la salle de bain s'ouvrit. Dawn essuya ses larmes en vitesse et cessa de renifler. Comme elle n'occupait son emploi que depuis peu, elle tenait à ce que personne ne s'aperçoive de son désarroi. Kim, l'une des serveuses, venait d'entrer.

« Dawn, demanda-t-elle, qui est Bill W.? » Le cœur de Dawn ne fit qu'un tour. La question l'avait prise complètement au dépourvu. C'était la première fois qu'elle entendait ce nom depuis son arrivée à Nashville.

« Bill W.?, répéta-t-elle. C'est le fondateur des Alcooliques anonymes. Et pourquoi diable me poses-tu cette question?

— N'as-tu pas remarqué? répondit Kim d'un ton légèrement exaspéré. Tous les clients présents ce soir dans le restaurant portent un médaillon où il est inscrit : « JE SUIS UN AMI DE BILL W. »

— *Quoi?* » lâcha Dawn, époustouflée. Elle ouvrit la porte et parcourut du regard les cinquante tables, comprenant chacune environ cinq ou six convives. Il devait donc y avoir près de trois cents personnes dans le restaurant. Et c'était bien vrai, chacune d'entre elles portait un médaillon déclarant son appartenance aux Alcooliques anonymes. Puis Dawn regarda du côté du bar, si fréquenté d'habitude, où elle avait prévu prendre son premier verre en trois ans. Il était complètement plongé dans l'obscurité, fermé pour la soirée.

« Oh, mon Dieu! » s'écria Dawn. Elle s'approcha de la première table. « Euh... que se passe-t-il?

— Pourquoi demandes-tu ça? » lui répondit une voix en provenance de la table.

Dawn se rappela qu'il ne fallait pas briser l'anonymat des alcooliques qui suivaient un programme de réhabilitation. « Moi aussi, je suis une amie de Bill W. », déclara-t-elle, la voix tremblante.

Tous perçurent son désarroi. Ils savaient de quoi elle avait immédiatement besoin, et applaudirent en chœur. Puis une personne dit : « Nous sommes ici parce que nous participons au congrès des Alcooliques anonymes. C'est notre plus gros congrès de tous les temps. Des milliers de personnes en provenance de tous les coins du monde sont venues pour l'occasion. »

Dawn pouvait à peine en croire ses oreilles. Un autre client croisa son regard et dit : « Oui, nous avons loué le restaurant pour la soirée, et nous avons dit au barman qu'il pouvait rentrer à la maison, car il n'aurait pas beaucoup de travail ce soir. »

Dawn prit place autour de la table. Les membres des A.A. qui se trouvaient là comprirent tous intuitivement sa situation. Ils écoutèrent attentivement sa triste histoire et l'inondèrent d'amour. Lorsqu'elle eut terminé son récit, une autre membre prit la parole : « À quelle heure ton quart de travail prend-il fin?

— À minuit, répondit Dawn.

— Que fais-tu après? demanda la même femme.

— Eh bien, j'avais l'intention de boire un verre, dit Dawn, mais maintenant... » Elle fut interrompue au beau milieu de sa phrase par une autre membre : « Nous avions prévu aller tous les six au cinéma après le dîner, mais au lieu de cela, nous allons tous rester ici jusqu'à minuit. Lorsque tu auras fini ton quart de travail, nous nous rendrons tous ensemble à l'endroit où se déroule le congrès. Il y a des réunions portant sur les douze étapes à toute heure de la nuit.

— Imaginez, dit Dawn, émerveillée et remplie de gratitude. J'ai prié pour trouver une personne à qui parler… mais Dieu devait trouver que j'allais vraiment mal, car il m'en a envoyé trois cents.

Commentaire

Il peut arriver que vous vous trouviez d'un côté d'une porte et que vous perceviez le monde comme un endroit sombre et solitaire, pendant que de l'autre côté de cette même porte se trouvent une multitude de personnes prêtes à vous offrir leur soutien et à vous encourager. Tout ce que vous avez à faire, c'est tourner la poignée.

*L*es équipes d'incendie ne furent appelées que tard dans la journée, après que la foudre, jaillissant de sombres nuées d'orage, ait frappé les vastes étendues d'herbe sèche, d'armoise et de genévriers recouvrant les régions désertiques du nord du Nevada ainsi que du sud de l'Idaho et de l'Utah. Des appels frénétiques furent lancés du poste d'incendie interagences de Salt Lake afin de réunir des équipes pour maîtriser les nombreux incendies qui s'étaient allumés dans la région.

Assis sur mon équipement de pompier, à Salt Lake City, en attendant l'arrivée du reste de mon équipe, j'examinais mes mains, couvertes de durillons et enflées au terme d'un été passé à creuser des lignes d'arrêt. Nous étions à la fin du mois de juillet 1994. J'étais professeur dans une école secondaire et je passais mes étés à travailler pour les services forestiers. Désirant devenir travailleur social en milieu scolaire, je prévoyais entreprendre des études supérieures à l'automne. Si j'avais été plus jeune, j'aurais eu davantage confiance en moi. En effet, je n'étais pas certain de pouvoir soutenir le rythme des études et d'avoir réorienté ma carrière dans la bonne direction.

« Hey, Wright, on est prêts à partir! » Mon chef d'équipe, Mike, me fit signe de me diriger vers un autobus blanc garé à proximité.

L'espace de chargement, à l'arrière, était déjà à moitié rempli par des pelles, des râteaux et des Pulaski, outils muni d'une hache d'un côté et d'une sape de l'autre. En entrant dans le véhicule, je résolus d'oublier pour un temps mes inquiétudes d'ordre professionnel. Les quatorze hommes et les cinq femmes qui composaient notre équipe étaient en train de parler de l'incendie que nous allions devoir combattre. Le brasier sévissait à environ 400 kilomètres de distance dans le comté de Elko, au Nevada. Il avait pris naissance la veille, mais était demeuré inaperçu jusqu'à cet après-midi-là, où, attisées par les vents, les flammes portèrent la superficie brûlée à des milliers d'acres.

Juste avant d'arriver à Elko, je pouvais apercevoir les flammes dans le lointain. L'autobus se rendit jusqu'à une vieille roulotte, puis le bruit sifflant de ses freins à air comprimé se fit entendre. « Une équipe a déjà été transportée sur les lieux et s'est mise au travail dans la montagne à environ seize kilomètres au nord de notre position actuelle », nous annonça le commandant. Il s'agissait d'une équipe d'attaque initiale héliportée, dont les membres sont transportés sur les lieux d'un incendie par hélicoptère. « Vous allez vous joindre à eux, poursuivit le commandant. Voici une carte de la région. »

Notre autobus redémarra bruyamment, tournant aux endroits indiqués par un drapeau rose. Puis nous nous arrêtâmes près d'une plate-forme d'atterrissage de fortune. Pendant que Mike alla prendre ses instructions, je m'assis sur le sol, le dos au vent chaud. Bientôt, un hélicoptère d'un blanc défraîchi surgit des airs et descendit vers nous. Je m'enfouis la tête entre les genoux pour me protéger les yeux de l'armoise et de la poussière pendant que l'appareil descendait vers le sol.

« Écoutez, cria Mike. Avec ce vent, l'incendie s'étend rapidement. Ils vont nous déposer à un endroit stratégique pour que nous puissions nous mettre au travail sans délai. Nous allons rejoindre l'équipe héliportée qui se trouve déjà là-haut.

« Tim, tu iras avec le premier groupe. » Arrivé à l'hélicoptère, je constatai que quatre personnes étaient déjà installées à l'arrière. Je pris donc place dans le siège avant, à côté du pilote. Je bouclai ma ceinture de sécurité pendant que les moteurs vrombissaient et que l'hélicoptère s'élevait dans les airs. Peu après, nous survolions la vallée, en direction du foyer d'incendie.

Je surveillais l'horizon avec inquiétude. Un amas de nuages sombres et menaçants approchait, et des vents violents faisaient remonter la fumée et la poussière.

À travers le brouillard, je vis quelque chose bouger. Qui ou qu'est-ce qui pouvait se trouver là? En regardant attentivement, je finis par voir une camionnette s'avancer sur la route qui montait en serpentant autour de la montagne en flammes. Il s'agissait probablement d'un propriétaire de ranch qui espérait sauver son bétail.

« Allô la base, ici Alfa Charlie sept », dit le pilote en parlant dans le micro de son poste radio. « Nous vous informons que les vents s'intensifient et que l'incendie prend rapidement de l'ampleur. » Il dut soudain s'interrompre en raison d'un excès de friture sur les ondes, puis poursuivit sa communication : « Il y a un autre problème. Nous avons vu un propriétaire de ranch se diriger en camionnette vers le haut de la montagne. Essayez d'entrer en contact avec lui et de le persuader de rebrousser chemin. Avec ces vents violents et la vitesse avec laquelle l'incendie s'étend, il court un grave danger. »

L'hélicoptère prit de l'altitude. Arrivé à la crête de la montagne, le pilote décrivit quelques cercles, à la recherche d'un endroit où atterrir. Nous étions alors suffisamment proches du sol pour être en mesure d'apercevoir l'équipe qui était arrivée plus tôt. Il s'agissait de quatre personnes placées en ligne droite face à l'incendie, à environ un kilomètre et demi d'une route. Nous savions quel était leur plan : mettre le feu à la zone qui se trouvait devant la route dans le but de créer ce qu'on appelle un « noir ». Puis, lorsque l'incendie atteindrait cette étendue brûlée, elle s'éteindrait faute de combustible.

Pendant que l'hélicoptère descendait vers le sol, je boutonnai correctement mon épais chandail à l'épreuve du feu. Après de nombreuses saisons au sein du service forestier, je savais ce qui m'attendait : dans la chaleur ardente, la fumée vous colle au visage, empoisonnant l'air ambiant et vous brûlant les yeux. Le vert des feuillages se transforme en un blanc crépitant à mesure que les feuilles, l'écorce et le bois se consument avec une lente intensité. Dans une telle atmosphère, les lunettes protectrices et les foulards mouillés sont de peu de secours. De plus, le sol rocailleux et l'armoise aux tiges tordues résistent aux assauts des outils Pulaski, et les bottes étanches à extrémités d'acier se remplissent de sueur. Non, je n'enviais pas du tout ces personnes qui se trouvaient au sol.

J'étais on ne peut plus prêt. Mais juste au moment où nous allions nous poser, un violent coup de vent poussa l'hélicoptère de côté. Le pilote réagit immédiatement en reprenant de l'altitude.

Pendant ce temps, l'incendie continuait à faire tourbillonner des cendres noires dans les airs.

Nous nous élevâmes rapidement pour échapper au danger. Alimentées par les vents devenus soudainement plus intenses, les flammes s'étaient multipliées et avaient envahi la plus grande partie du flanc de la montagne. Horrifiés, nous vîmes les membres de l'équipe héliportée, qui n'avaient pas eu le temps de se rendre jusqu'au « noir », se mettre à courir pour échapper aux flammes déchaînées qui approchaient d'eux.

Si les vents diminuaient et que les quatre malheureux arrivaient à traverser une clôture de fils barbelés et à atteindre la route, ils avaient peut-être une chance. Mais où iraient-ils après? La distance entre eux et les flammes s'amenuisait. *Courez, courez!* pensais-je. Tous les quatre couraient à perdre haleine.

Dans le cadre de mes cours de formation, j'avais vu beaucoup de films illustrant ce genre de situation. On nous y apprenait que dans les cas où les flammes s'approchent trop, rendant toute retraite impossible, il faut dégager une certaine zone de l'herbe et les branches qui s'y trouvent et installer un abri à l'épreuve du feu. Les abris ressemblent à de petites tentes et sont faits avec un épais matériel résistant au feu, recouvert d'une couche d'aluminium servant à refléter la chaleur pour protéger la personne se trouvant à l'intérieur. Mais les quatre membres de l'équipe n'avaient pas le temps d'effectuer cette opération. S'ils s'arrêtaient pour installer leurs abris, ils seraient instantanément incinérés. Ils continuaient donc leur course effrénée pendant que nous les regardions du haut des airs, impuissants.

C'est avec un douloureux sentiment de frustration que je regardais les quatre malheureux tenter d'atteindre la route de terre. Mais avec des flammes qui ronflaient à une cinquantaine de mètres derrière eux et une clôture de barbelés à escalader, cet exploit semblait impossible.

« *Allez, allez* », criaient les membres de notre équipe, assis à l'arrière de l'hélicoptère. Il nous était impossible de nous poser pour leur venir en aide. Notre pilote faisait déjà des efforts surhumains pour garder la maîtrise de l'hélicoptère au milieu des intenses rafales. Tout ce que nous pouvions faire, c'est prier, ce que je fis, avec une grande ferveur. *Mon Dieu, je ne vois pas comment ils pourraient s'en sortir, mais peut-être avez-vous une idée là-dessus. Peut-être que vous voyez des choses qui nous sont invisibles.* Soudain, elle émergea de l'obscurité tourbillonnante — la camionnette du propriétaire de ranch que nous avions vue de l'autre côté de la montagne quelques minutes auparavant. Le chauffeur avait probablement vu l'équipe s'enfuir en courant! La camionnette fit une embardée et quitta la route de terre, puis fonça vers la clôture de barbelés et s'arrêta brusquement le long de celle-ci. Le conducteur bondit hors de son véhicule, en tenant à la main une paire de pinces coupantes. Devant nos yeux ébahis, il coupa la clôture et tira les fils barbelés hors du chemin.

Puis il reprit place dans sa camionnette en agitant les bras et en criant en direction des quatre fuyards, les encourageant à continuer à courir. Les flammes étaient pratiquement sur leurs talons. Le premier sauta dans la boîte de la camionnette et aida les deux autres à y monter. Les flammes entouraient complètement le véhicule lorsque le dernier fugitif grimpa à l'arrière. Puis le conducteur mit le pied au plancher sans demander son reste.

« Ils ont réussi! » criai-je en regardant la camionnette dévaler la route de montagne. Soulagés, nous poussâmes des hourras pendant que le pilote rapportait la nouvelle à la base, avant de partir à la recherche d'un autre endroit pour atterrir. Une demi-heure plus tard, nous étions au sol à creuser une ligne d'arrêt.

Plus d'une semaine d'efforts furent nécessaires pour maîtriser l'incendie, mais je n'ai jamais pu rencontrer les membres de l'équipe héliportée et ne sus jamais pourquoi le propriétaire de ranch s'était trouvé sur le chemin des pompiers en péril.

Pendant que nous regardions la scène du haut des airs, deux scénarios sans rapport apparent l'un avec l'autre convergèrent pour donner lieu à un saisissant sauvetage. Au cours de mes études supérieures, je m'appliquai avec acharnement à réussir mes cours dans le but de trouver un autre emploi, mais je repensai souvent à cet événement hors du commun. Aujourd'hui, quand je me fais du mauvais sang à propos de ma famille et de mon travail, je me souviens de ce moment que j'ai passé dans les airs, à survoler le Nevada. Je revois une équipe d'incendie d'un côté de la montagne tentant frénétiquement d'échapper aux flammes déchaînées et un propriétaire de ranch de l'autre côté roulant vers ce qui aurait pu s'avérer être un désastre — mais qui faisait en fait partie d'un plan invisible.

— *Timothy S. Wright*

Commentaire

Même dans les moments périlleux de la vie, lorsque tout semble submergé par les flammes, le salut peut se trouver à portée de la main.

Au début des années soixante-dix, je vivais avec ma femme à Long Beach, en Californie, et je venais de décrocher un emploi dans la région de la baie de San Francisco. Un jour que j'étais seul au volant de ma petite Volkswagen (que nous appelions Wilma) et que je roulais en direction sud sur l'autoroute 5, je tombai en panne dans un endroit complètement isolé et désert. Je savais que la station-service ou la ville la plus proche se trouvaient probablement à plus de quatre-vingts kilomètres de distance. Par conséquent, j'avais peu d'espoir d'obtenir de l'aide. Je tentai vaillamment de rafistoler la voiture, mais rien n'y fit. Je finis par abandonner.

J'étais assis sur le bord de la route depuis environ une heure, impuissant et abattu, lorsque je regardai ma montre et vis qu'il était 18 h 15. Je me demandai avec angoisse si j'allais pouvoir arriver à temps pour ma première journée de travail, qui commençait à 8 h le lendemain matin.

Soudain, sans réfléchir, je m'emparai des clés de contact et tentai de nouveau de faire démarrer la voiture. J'ignore ce qui me poussa à poser ce geste. C'est comme si une impulsion intérieure que je ne pouvais expliquer me poussa à faire une nouvelle tentative. À ma grande surprise, le moteur se mit à ronronner comme si de rien n'était. Quel choc! Je rassemblai mes choses, embrayai et parcourus le reste du chemin sans autre contretemps.

Ce soir-là, je téléphonai à Kathie, mon épouse, pour lui annoncer que j'étais arrivé à San Jose et que tout allait bien.

« Oh, dit-elle, je n'étais pas inquiète pour toi. Les enfants et moi avons prié pour toi à l'heure du dîner. Nous avons récité une prière spécialement à l'intention de Wilma.

— Tu te rappelles de l'heure qu'il était? demandai-je.

— Absolument. Je surveillais l'horloge de la cuisinière pour ne pas brûler le repas.

— Alors, quelle heure était-il?

— Il était exactement six heures quinze.

— *Brad Fregger*

Commentaire

Lorsque nous prions, nous parlons à Dieu. Lorsque survient un miracle, c'est Dieu qui nous parle.

$\mathcal{L}$e mois de juin tirait à sa fin et je vivais à Philadelphie depuis presque dix ans lorsque mon employeur m'annonça qu'à la suite d'une restructuration de l'entreprise, mes services ne seraient plus requis à partir du premier septembre suivant, après six années de loyaux services.

Je suis sûr que beaucoup de gens ont vécu la même chose, mais je considérais que j'avais plus de chance que nombre d'entre eux. En effet, j'étais célibataire et j'avais deux mois pour me trouver un emploi avant la date de mise à pied. De plus, j'aurais droit à une indemnité de départ équivalant à six mois de salaire. Mais malgré tout cela, la perte d'un emploi est toujours source d'angoisse et d'inquiétude. Le choc initial causé par le renvoi fit bientôt place à des émotions oscillant entre la colère et le désespoir, et même si je bénéficiais du soutien de mes amis et de ma famille, j'étais tous les jours aux prises avec un intense sentiment d'isolement.

Pendant les deux mois qui suivirent, ma recherche d'emploi alla bon train. J'avais déjà eu plusieurs entrevues prometteuses et j'entrevoyais de bonnes possibilités de carrière dans un certain nombre de villes : Chicago, Cleveland, New York et Washington, D.C. Un recruteur de New York m'avait même parlé d'une possibilité d'emploi au sein de la société Hallmark Cards, à Kansas City. Comme je n'avais communiqué avec cette entreprise qu'à une ou deux reprises, je ne me faisais pas beaucoup d'illusions sur mes chances de décrocher le poste. Je préférais plutôt travailler à Cleveland, qui se trouvait à une heure de route de Youngstown, en Ohio, où vivait ma famille. Au cours des cinq dernières années, mon frère et ma sœur étaient tous deux revenus vivre en Ohio et je croyais, tout comme mes parents, que cette recherche d'emploi était l'occasion pour moi de revenir à la maison.

Lorsqu'on est en recherche d'emploi, l'un des moments les plus difficiles est le début des week-ends. En effet, on sait que pendant deux jours, personne ne nous rappellera au sujet de nos recherches, que le processus de recrutement des entreprises est arrêté et que rien de tangible ne surviendra pour nous rapprocher de notre but. Je trouvais cette situation particulièrement déconcertante. En effet, j'étais habitué à avoir la certitude de me trouver à la bonne place. Même dans les périodes difficiles, je n'avais jamais douté que j'allais dans la bonne direction, que j'empruntais un chemin tout tracé pour moi et que si je persistais, tout finirait par se résoudre. J'en étais venu à m'appuyer sur la force que cette certitude m'avait procuré. Mais maintenant, ce soutien intérieur n'existait plus, et j'errais à la dérive, sans destination précise.

Un vendredi soir de la fin du mois d'août, alors que je me sentais particulièrement découragé par la tournure qu'avait prise ma vie, je me rendis à pied à une pizzeria de mon quartier dans l'intention de m'acheter un sandwich. J'étais un habitué de l'endroit, et après avoir commandé, je me postai à la fenêtre donnant sur la rue pour regarder les derniers voyageurs émerger de la gare et se rendre à la maison pour le week-end. Je me sentis soudain mélancolique.

Ce n'étaient pas les efforts que je devais déployer pour me trouver un emploi qui contribuaient à mon désespoir — au contraire, le défi me stimulait et les choses allaient plutôt bien de ce côté –, mais l'incertitude qui caractérisait maintenant ma vie.

Même si je ne me considère pas comme une personne religieuse (je n'ai pas mis les pieds dans une église depuis mon enfance), j'ai toujours cru que j'avais une vie spirituelle très riche, et la nature de ma relation avec Dieu relève davantage du dialogue que de la révérence ritualisée. Cette nuit-là, debout à la fenêtre, je demandai à Dieu de me faire signe et de me donner une idée de ce que serait mon avenir ainsi que de ma destination.

Je tournai le dos à la fenêtre en me disant qu'il n'y avait rien à faire, que c'était le week-end et que je devrais essayer de me détendre. Au même moment, mon attention fut attirée par le bruit du téléviseur installé sur une étagère au-dessus de la fenêtre par les propriétaires, qui voulaient regarder l'émission *Jeopardy*. Mon angoisse diminua progressivement et je me mis à écouter le jeu questionnaire. La première question que je me rappelle avoir entendu l'animateur poser portait sur le nom de la compagnie qui avait mis en marché une modeste gamme de produits appelés

Collectibles Ornaments, en 1973. Après que l'un des concurrents eut répondu incorrectement, un autre dit : « Qui est *Hallmark*? », ce à quoi l'animateur répondit : « *Hallmark est la bonne réponse.* »

Au début, je ne pus en croire mes oreilles. Je me tournai vers le téléviseur et quelle ne fut pas ma surprise de constater que le concurrent qui avait donné la bonne réponse s'appelait Matt. C'est mon nom, pensai-je. Comme c'est étrange.

Au cours des deux mois qui suivirent, mes recherches d'emploi prirent toutes sortes de tournures bizarres, et sans repenser au signe qui m'avait été envoyé ce soir-là à la pizzeria, je m'étais résigné à croire que je resterais à Philadelphie, ou que je retournerais auprès de ma famille en Ohio. Mais il n'en serait pas ainsi. Les offres d'emploi que je croyais recevoir ne vinrent jamais, tandis que d'autres s'avérèrent clairement un mauvais choix. Pendant tout ce temps, je pouvais sentir une main douce mais ferme me pousser dans une nouvelle direction, celle de Kansas City. C'est dans cette ville que je vis aujourd'hui, et j'occupe un emploi très rémunérateur chez Hallmark Cards depuis le début du mois de décembre dernier.

— *Matt Eichmann*

$\mathcal{L}$a vie est une bien petite chose! a un jour écrit Robert Browning. Mais une petite chose peut sauver une vie, et même deux. Je m'en souviens comme si c'était hier. Il y a deux ans, dans le centre-ville de Denver, mon ami Scott Reasoner et moi-même avons été témoins d'un tout petit événement, presque insignifiant, aux conséquences énormes. Étrangement, personne d'autre que nous ne sembla le remarquer.

C'était une de ces merveilleuses journées dont seul Denver a le secret. L'air était limpide, il n'y avait pas d'humidité, et aucun nuage ne flottait dans le ciel. Nous décidâmes de parcourir à pied les dix rues qui nous séparaient d'un restaurant avec terrasse extérieure où nous comptions aller manger au lieu de prendre l'autobus qui fait la navette le long de la seizième rue, réservée aux piétons. Le restaurant, de la forme d'un terrain de base-ball, s'appelait le Blake Street Baseball Club. Les tables y étaient placées sur un terrain gazonné, et une ribambelle de banderoles et de drapeaux multicolores flottaient mollement dans les airs.

Assis à l'extérieur sous un soleil de plomb, nous avions de plus en plus chaud. En effet, il n'y avait pas une trace de vent et le dessus de la table dégageait une chaleur insupportable. Tout était immobile, sauf bien sûr les serveurs. Et encore, ils ne se déplaçaient pas très vite.

Après le déjeuner, Scott et moi revinrent sur nos pas en empruntant la même rue piétonnière. En chemin, nous remarquâmes tous deux une mère et sa petite fille qui sortaient d'une boutique de cartes et se dirigeaient vers la rue. La mère tenait sa fille par la main en lisant une carte de vœux. Nous vîmes tout de suite qu'elle était si absorbée dans sa lecture qu'elle ne remarqua pas l'autobus qui se dirigeait vers elle à grande vitesse. Elle et sa fille se trouvaient à un doigt du désastre quand Scott s'apprêta à pousser un cri. Il n'avait pas eu le temps d'émettre un son lorsqu'un coup de vent fit voler la carte des mains de la femme. Le morceau de papier ayant été propulsé par-dessus son épaule, elle se retourna vivement et tenta de le rattraper au vol, faisant presque tomber sa fille par terre. Lorsqu'elle eut ramassé la carte, qui avait abouti sur le sol, et qu'elle se retourna pour traverser la rue, l'autobus était passé. Elle ne se rendit jamais compte de ce qui avait failli lui arriver.

Aujourd'hui encore, deux choses continuent à m'intriguer au sujet de cet événement. D'où sortait ce coup de vent qui a fait voler la carte des mains de la jeune mère? Lors du déjeuner ou de notre longue promenade dans la rue piétonnière, il n'y avait pas eu le moindre vent. Deuxièmement, si Scott avait réussi à pousser un cri, la femme aurait peut-être regardé dans notre direction tout en continuant de marcher avec sa fille vers l'autobus. C'est le vent qui l'a fait se retourner vers la carte — ce qui a sauvé sa vie et celle de sa petite. Ce n'est pas non plus le passage de l'autobus qui a créé un courant d'air, car la bourrasque provenait de la direction opposée.

Je ne doute pas que le souffle de Dieu les ait protégées toutes deux. Mais ce qui est remarquable à propos de ce miracle, c'est que la femme ne s'en aperçut pas. En retournant au travail, je réfléchis au fait que Dieu agit souvent dans nos vies sans que nous en ayons connaissance. La différence entre la vie et la mort tient parfois à bien peu de chose.

Commentaire

Le souffle d'un miracle peut balayer nos vies sans que nous en ayons connaissance.

*A*rnold Fine, rédacteur en chef du journal *Jewish Press*, reçut un jour une lettre inhabituelle d'une lectrice, une dame d'un âge avancé : « Je lis avec assiduité votre chronique "Je me souviens", que j'apprécie beaucoup. Je suis souvent frappée par la chaleur et la sensibilité qui émanent de votre écriture. Vous avez l'air d'une personne qui se soucie vraiment des autres, et c'est pour cette raison que j'ai décidé de solliciter votre aide.

« Bien que je sois maintenant âgée de quatre-vingts ans et veuve, je n'ai pas oublié mon premier amour, Harry. J'avais dix-sept printemps et j'étais persuadée — même à un si jeune âge — d'avoir trouvé l'âme sœur. Harry, plus âgé, avait vingt-trois ans et était lui aussi convaincu que nous étions faits l'un pour l'autre et qu'il avait trouvé sa compagne de vie. Nous nous aimions follement, passionnément et sans réserves.

« Mais mes parents ne partageaient pas mon enthousiasme pour Harry. Ils s'opposaient férocement à notre relation, pas tant en raison de notre jeune âge — bien que ce fût un facteur — mais parce que Harry était issu d'un milieu défavorisé. Américains d'origine allemande dont la famille s'était installée au pays quatre générations auparavant, mes parents étaient riches et puissants. Ceux de Harry étaient des immigrants récemment arrivés d'Europe de l'Est et vivaient dans l'indigence. Par conséquent, mes parents firent tout ce qu'ils purent pour mettre fin à notre relation.

« En fait, ils avaient tellement peur que j'épouse Harry qu'ils m'emmenèrent en Europe pendant une année. À mon retour, Harry semblait s'être volatilisé. Il avait déménagé sans laisser d'adresse, et personne ne semblait savoir où il était allé. J'essayai désespérément de le trouver, mais en vain. J'avais le cœur brisé. Je n'aimerais plus jamais personne comme j'avais aimé Harry.

« Quelques années plus tard, j'épousai un homme merveilleux avec qui je connus le bonheur pendant presque soixante ans. Nous avons eu une belle vie ensemble. Malheureusement, il est décédé l'année dernière.

« Je suppose que c'est parce que je dispose de beaucoup de temps maintenant, mais depuis quelque temps je pense constamment à Harry. Je ne cesse de me demander ce qu'il est advenu de lui, et s'il est encore en vie. C'est peut-être un peu fou, mais j'ai pensé que la seule personne qui pourrait m'aider était vous, M. Fine. Je sais que vous êtes très occupé, mais si vous pouviez m'aider à retrouver Harry, je vous en serais éternellement reconnaissante.

« Le seul indice dont je dispose, et que vous trouverez ci-joint, est une vieille enveloppe portant l'ancienne adresse de Harry. Je vis maintenant au foyer Crown Manor*, à Long Beach, et j'attendrai votre réponse avec espoir et impatience. »

La lettre était signée Ida Brown*.

Arnold Fine était en effet un homme très occupé. En plus d'assumer ses fonctions de rédacteur en chef au journal *Jewish Press*, il travaillait le jour à titre de professeur en éducation spécialisée dans les écoles publiques de la ville de New York.

Mais la lettre l'avait ému, et il souhaitait aider Ida. Utilisant toute l'expertise en matière d'enquête qu'il avait acquise pendant les années où il avait été reporter dans un journal, il se mit à chercher Harry. Il entreprit ce projet en éprouvant espoir et trépidation. Le fait de retrouver Harry et de réunir les deux anciens amoureux serait pour lui un acte profondément gratifiant. Mais qu'en était-il de l'autre possibilité? Qu'arriverait-il s'il devait apprendre à Ida que Harry était mort depuis longtemps?

Plusieurs semaines plus tard, Arnold Fine se rendit au foyer Crown Manor* pour une occasion bien spéciale. Tout d'abord, il se rendit au sixième étage, où il serra la main d'un vieil homme aux manières courtoises, la démarche alerte et vive, les yeux pleins de malice et d'énergie malgré sa cane. Arnold lui passa doucement le bras autour des épaules et le guida lentement vers l'ascenseur. Ils se rendirent jusqu'au troisième étage, où les attendait Ida.

« Harry? » dit Ida en tremblant, debout à l'autre extrémité du couloir.

« Mon Dieu... Ida! » bégaya-t-il.

Sans le savoir, ils vivaient dans le même foyer depuis cinq mois, à trois étages de distance.

Plusieurs semaines plus tard, Arnold Fine se rendit de nouveau au foyer Crown Manor. Cette fois, c'était pour assister au mariage de Ida et de Harry, après une séparation de soixante années.

Commentaire

Un cœur qui aime n'oublie pas. Sa passion est comme une flamme puissante constamment alimentée par le souvenir.

*T*ôt un matin, Pat fut brusquement tirée d'un sommeil profond par la sonnerie stridente du téléphone. Endormie, elle leva les yeux vers le réveil numérique posé sur sa table de chevet et constata avec surprise qu'il n'était que cinq heures.

« J'espère au moins que c'est important », pensa-t-elle.

Mais c'était un appel obscène.

Elle raccrocha furieusement le combiné et essaya de s'enfouir la tête sous les couvertures pour se rendormir.

Mais elle ne pouvait cesser de penser au langage ordurier que l'homme avait employé et à ses propositions impudiques.

« Peut-être n'est-ce pas une bonne idée de vivre seule », pensa-t-elle.

Elle se tournait et se retournait dans son lit, mais c'était peine perdue. Elle était incapable de se rendormir, l'appel lui ayant mis les nerfs à vif. À voix basse, elle maudit à plusieurs reprises l'homme qui l'avait appelée.

« Je ferais mieux de me lever et de me préparer une tasse de café bien fort », se dit-elle.

Elle tituba jusqu'à la cuisine, maudissant toujours l'homme, Dieu, la vie, l'univers, le destin et toutes les personnes à qui elle pouvait penser pour avoir interrompu son paisible sommeil.

Mais sa façon de voir les choses changea dès qu'elle alluma la lampe du plafond. La fenêtre de la cuisine, qu'elle avait bien fermée la veille au soir, était maintenant grande ouverte, et un couteau de boucher d'apparence sinistre qui ne lui appartenait pas se trouvait sur la table de cuisine, à côté d'une cagoule de skieur et d'une corde.

Lorsque Pat comprit la signification de la fenêtre ouverte et le sombre dessein lié aux objets qui se trouvaient sur la table, elle en eut le souffle coupé.

Ce qui s'était produit et ce qui aurait pu lui arriver était clair.

Un intrus avait pénétré dans son appartement dans l'intention de s'en prendre à elle.

C'est à ce moment précis que le téléphone avait sonné.

L'appel lui avait fait très peur.

Et il avait fait fuir le malfaiteur.

« *Merci, mon Dieu,* murmura-t-elle. Et merci, monsieur l'auteur de l'appel téléphonique obscène, ajouta-t-elle. Votre appel m'a semblé répugnant, mais apparemment il m'a sauvé la vie. »

Commentaire

On ne peut jamais savoir avec certitude quand il faut rire et quand il faut pleurer, quand maudire et quand exprimer sa reconnaissance. Comme la vie nous parle souvent avec des signes énigmatiques, nous ne pouvons être certains du sens de ses messages avant que les pièces du casse-tête ne soient toutes en place.

Au plus fort d'une tempête, mon frère essayait de revenir à la maison après le travail. Après avoir attendu l'autobus pendant une heure, il décida de se rendre à pied. Bien qu'il lui fût très difficile d'avancer en raison de l'épaisse couche de neige, il persista, et au bout de ce qui lui sembla être une éternité, il aperçut enfin son domicile. Il était soulagé, car il grelottait et était presque arrivé au bout de ses forces.

Soudainement, son pied heurta quelque chose et il réalisa avec horreur qu'une femme était étendue dans la neige. Au début, il n'était pas certain qu'elle fût encore vivante, mais lorsqu'il s'agenouilla auprès d'elle, il entendit un gémissement. Elle parvint à lui dire qu'elle aussi avait essayé de se rendre chez elle à pied mais qu'elle avait fait une chute et n'arrivait plus à se relever. Mon frère ne savait que faire. Pouvant à peine marcher lui-même, il fit un effort surhumain et souleva la femme de terre.

Il réussit à la transporter jusqu'à un immeuble voisin, où elle put s'asseoir et se réchauffer. Ils s'échangèrent leur nom et leur adresse, et lorsque mon frère fut certain que la femme serait en mesure de se rendre à destination, il prit congé et parcourut les trois dernières rues qui le séparaient de chez lui.

Il ne fit pas grand cas de cet incident, croyant avoir agi comme n'importe qui l'aurait fait. Mais pour nous, il était un véritable héros.

Imaginez sa surprise lorsque, la semaine suivante, dans l'enveloppe où se trouvait son chèque de paye, il trouva un chèque de 5 000 $ et une note de son patron le remerciant *d'avoir sauvé la vie de sa sœur*!

« Insuffisance rénale chronique », dirent les médecins à mon cousin Larry, qui devait recourir à une machine à dialyse depuis plus de quatre ans et dont l'état se détériorait rapidement. « Votre seul espoir de survie est une transplantation du rein. » Je faisais partie des membres de la famille à qui on demanda de fournir un échantillon, pour que les médecins puissent trouver un donneur compatible. J'acceptai volontiers, sans penser aux conséquences. C'est donc avec surprise que j'appris que j'étais le donneur idéal.

Je reçus un appel de l'hôpital au beau milieu de la fête que j'avais organisée à l'occasion de l'anniversaire de ma fille, qui avait quatre ans. Ma femme, enceinte de huit mois de notre deuxième enfant, me jeta un regard méfiant lorsque je raccrochai le téléphone. Elle avait perçu mes intonations prudentes et le ton de mes réponses, même si j'avais parlé à voix basse. Je ne voulais pas gâcher la fête et porter ombrage à son bonheur ou à celui de ma fille. « Qui était-ce? demanda-t-elle.

— Pas maintenant, dis-je, en jetant un regard appuyé en direction de notre fille et de son gâteau d'anniversaire.

« C'est une très *importante* décision, Ronnie », dit mon épouse avec angoisse le soir venu, lorsque notre fille se fut endormie et que nous nous rendîmes dans la cuisine pour discuter. « Pouvons-nous y réfléchir pendant quelque temps?

— Il ne lui reste pas beaucoup de temps, Debra, J'ai dit aux médecins que je leur donnerais une réponse dès demain.

— *Demain*? s'écria-t-elle, furieuse. Mais qu'est-ce que tu crois... qu'un rein c'est comme un pneu de rechange? Qu'arrivera-t-il si tu en as besoin toi aussi un jour? Y aura-t-il quelqu'un pour te dépanner?

— Debra, dis-je, ce n'est pas facile pour moi non plus. Crois-moi, je suis absolument terrifié! Je me sens également déchiré et ambivalent. Et pour être vraiment honnête, je dois admettre que j'aurais été grandement soulagé si on m'avait annoncé que je *n'étais pas* compatible. Mais le fait est que je le suis.

— Ronnie, dit Debra avec fermeté, il s'agit-là d'une chirurgie *majeure*, qui comporte d'importants risques. Je te défends d'accepter!

— Larry est comme un frère pour moi, Deb. Ce n'est pas quelque chose que je *veux* faire, mais plutôt quelque chose que je *dois* faire. Que vaudra ma vie si je refuse à Larry le droit de vivre la sienne?

— C'est une décision *capitale*, Ronnie, qui touche *l'ensemble* d'entre nous. Tu as une famille maintenant, et des responsabilités envers elle!

— Debra, répondis-je faiblement, je dois y penser, et la nuit porte conseil.

— Je ne veux pas que tu le fasses... Ronnie, je ne peux pas te laisser prendre ce risque! » Puis elle quitta précipitamment la pièce, le regard glacial et le menton dressé, l'air buté.

Une partie de moi souhaitait céder et se conformer au souhait de mon épouse. Je pourrais ainsi lui attribuer la responsabilité de mon refus. Je me voyais en train de dire : « Eh bien, Larry, je suis désolé, mais comme tu le sais, Debra est sur le point d'accoucher et elle ne me permet pas de... » Mais une autre partie de moi rejetait ce scénario et en éprouvait de la honte.

Cette nuit-là, mon sommeil fut agité et je me tournai et me retournai dans mon lit, tourmenté par cette décision. Puis je me mis à rêver.

Dans mon rêve, je rendais visite à Larry, à l'hôpital.

J'entrais dans sa chambre après m'être assuré d'arborer un air optimiste, puis m'adressai à lui d'un ton faussement chaleureux : « Salut, mon vieux, comment va la vie?

— *Ce n'est pas* une vie, répondit Larry avec amertume. Je ne peux pas manger et c'est à peine si on me permet de boire. Je dois rester accroché à cette machine pendant des heures, et lorsque le traitement est terminé, je me sens plus mal que jamais.

— Mais, Larry, protestai-je, toujours sur un ton d'entrain factice, au moins, avec ce traitement, tu peux bouger et tu es libre de tes mouvements!

— Ouais, libre, parlons-en! rétorqua-t-il avec aigreur. Je suis libre de me *rendre* à la dialyse et d'en *revenir*. » Il indiqua du doigt les tubes qui le reliaient à la machine. « J'ai vingt-huit ans et j'ai un cordon ombilical qui me fait l'effet d'un boulet!

— Larry, dis-je faiblement, que puis-je faire?

— Je ne peux plus continuer comme ça! Aide-moi, je t'en prie! » s'écria-t-il.

Je me réveillai couvert de sueurs froides.

Et je décidai — en dépit de la colère de ma femme et de mes propres doutes — de lui donner mon rein.

En chemin vers la salle d'opération, le médecin qui se trouvait à mes côtés murmura quelques mots d'encouragement : « Vous êtes entre bonnes mains, Ronnie. Vous avez pris votre décision en accord avec votre conscience. »

Le matin suivant, j'ouvris les yeux et me sentis passablement sonné. J'aperçus un médecin qui s'affairait non loin de moi. « Bonjour, Ronnie! dit-il avec entrain. Comment vous sentez-vous… à part le malaise postopératoire habituel?

— Docteur, dis-je dans un gémissement, je ne sais pas ce qu'il est normal de ressentir dans ces circonstances, mais j'ai très mal.

— Oui, eh bien… » Il hésita pendant une fraction de seconde. « Je dois vous informer qu'il s'est produit quelque chose d'inattendu au cours de l'opération…

— Qu'est-il arrivé à Larry? demandai-je, alarmé.

— Il est toujours sous dialyse, mais ne vous en faites pas, nous lui avons trouvé un autre donneur compatible. »

Confus, je regardai le médecin fixement.

« Ronnie, commença-t-il doucement. Je suis certain que vous n'avez jamais entendu le mot *hypernéphrome*. » Je fis non de la tête. « C'est une forme de cancer incurable, poursuivit-il, dont l'issue est pratiquement toujours fatale.

— Êtes-vous en train de me dire que Larry est atteint de… », demandai-je, un trémolo dans la voix et le cœur battant. Mais le médecin m'interrompit en milieu de phrase.

« Non, Ronnie va s'en tirer, et vous aussi. Selon l'échographie, vos deux reins étaient sains. L'un ou l'autre aurait pu sauver votre cousin. Et nous avons pris une décision arbitraire... enfin, c'est ce que nous croyions... quand est venu le temps de prélever l'organe. Nous ignorions alors que nos mains étaient guidées vers le bon rein... Parce que, mon ami, après avoir enlevé votre rein gauche, nous avons pu voir ce que l'échographie n'avait pas décelé. Sur le cortex de l'organe se trouvait un minuscule nodule, signe d'un hypernéphrome. Si vous n'aviez pas décidé de donner un rein à votre cousin, vous seriez probablement mort au cours de l'année. Et si nous n'avions pas examiné votre rein avec suffisamment d'attention, c'est Larry qui aurait succombé des suites de votre cancer. Ronnie, vos intentions étaient en vérité très nobles. Vous pensiez sauver la vie de votre cousin, mais il se trouve, cher ami, que c'est Larry qui a sauvé la vôtre. »

Commentaire

L'univers récompense les actes de bonté, non pas donnant, donnant, comme le font les humains, mais avec une générosité et une grâce infinies.

*P*eut-être Dieu ne s'est-il pas adressé à moi par l'entremise de ma chienne.

Peut-être était-ce simplement une impression — pas seulement la mienne, mais aussi celle d'un ami qui fut témoin de l'événement. Mais si l'on considère que Dieu — celui de la tradition judéo-chrétienne, du moins — a toujours communiqué avec les mortels par le truchement de buissons ardents et d'apparitions spectrales de la Vierge Marie, mon chien de chasse aux oreilles pendantes et au museau busqué n'est peut-être pas un choix si incongru d'intermédiaire entre le monde concret et celui de l'impalpable.

Toujours est-il que les choses se sont déroulées telles que je vais vous les décrire. Et si les événements relatés ci-après ne sont pas l'œuvre d'une main invisible qui tentait de me détourner de mon insouciant agnosticisme, il n'en s'agissait pas moins d'un incident réellement paranormal, le seul qui me soit jamais arrivé.

C'était il y a quelques années. Je louais une petite cabane sur le ranch de vendanges exploité par mon ami David Steiner, qui en était le propriétaire, dans les montagnes de Sonoma. Un jour de printemps, nous décidâmes d'aller à la pêche au saumon le lendemain matin. Comme nous étions tous deux prédisposés au mal de mer, nous nous collâmes un timbre cutané de scopolamine derrière l'oreille avant d'aller au lit. Même si la scopolamine a des effets secondaires indésirables — bouche pâteuse, bourdonnement dans les oreilles et une sensation de picotement qui donne l'impression d'avoir des blattes qui fourmillent à la surface de la peau —, je ne connais aucun autre produit qui soit aussi efficace.

Mon réveil sonna à trois heures le lendemain matin. Les yeux gonflés et la gorge sèche, je m'habillai et traversai la cour en traînant les pieds jusqu'à la maison de Steiner. Déjà levé et visiblement aussi peu dans son assiette que moi, il regardait tristement le liquide noir et visqueux s'écouler de sa machine à café. Nous en bûmes deux tasses chacun, puis préparâmes des sandwiches et commençâmes à rassembler notre équipement : cannes à pêche, hameçons, bottes de caoutchouc, chandails de rechange. Environ une demi-heure plus tard, mon camion était chargé et nous étions prêts à partir.

J'avais la sensation que ma tête, mes sinus et ma gorge étaient tapissés de laine et de ronces. La scopolamine était au plus fort de son effet. Je me sentais très mal, mais au moins je savais que je ne passerais pas la journée cramponné au garde-fou du bateau.

J'avais néanmoins l'étrange impression d'avoir oublié quelque chose. Mon permis de pêche? Je vérifiai : il était bel et bien dans mon portefeuille. Quelque chose me tracassait toujours, mais je n'avais pas le temps de m'y arrêter. Bodega Bay était à une heure de route, et le bateau quittait le port à cinq heures. Ce n'était donc pas le moment de tergiverser, et nous nous mîmes en route.

À partir du ranch, la route des montagnes de Sonoma descend en zigzags sur une distance d'environ un demi-kilomètre. Bien avant d'arriver en bas de la côte, mon vague malaise se transforma en prise de conscience : les boissons gazeuses. Ou, plus précisément, les Pepsi diète — un paquet de six canettes de la boisson non alcoolisée favorite de Steiner. Nous les avions laissées dans le réfrigérateur, et il était impensable de passer la journée sans boire. La seule pensée de sentir le liquide glacé additionné de caféine et artificiellement sucré irriguer ma gorge desséchée était irrésistible : il me fallait me désaltérer immédiatement.

« Qu'est-ce qui se passe? grommela Steiner.

— Les Pepsi, répondis-je d'une voix rauque. On les a oubliés. »

Mais au moment où je cherchai une entrée pour faire demi-tour, mes phares se réverbérèrent dans les yeux d'un gros animal qui se tenait sur la route et se dirigeait vers nous avec une singulière démarche, que je reconnus immédiatement. C'était Megan, ma chienne indisciplinée.

Megan m'appartenait-elle? Non, les chiens de chasse sont les plus félins de leur espèce. Elle daignait rester aux alentours de chez moi tant que je la nourrissais régulièrement et que je lui accordais l'accès à mon tas de compost. L'un de ses passe-temps favoris consistait à explorer le tronçon de route qui se trouvait devant le ranch à la recherche d'animaux écrasés. Je l'attachais ou la gardais dans un terrain clôturé le plus souvent possible, mais elle trouvait toujours un moyen de s'échapper sitôt que j'avais le dos tourné ou que j'étais préoccupé — comme c'était le cas ce matin-là, étourdi que j'étais par la scopolamine.

Je fus contrarié à la vue de Megan. Il était dangereux pour elle de se promener sur la route, et sa présence allait nous faire perdre du temps. Nous risquions de manquer le bateau.

Je débrayai, et Megan s'arrêta au milieu de la chaussée, reconnaissant le bruit du moteur du camion. Voyant qu'elle avait quelque chose dans la gueule, j'immobilisai le véhicule à côté d'elle et ouvris la portière. « Donne-moi ça, Megan », dis-je en saisissant son butin.

C'était un paquet de six canettes glacées. Je les tins à la hauteur du pare-brise, pour que nous voyions de quoi il s'agissait : des canettes de Pepsi diète, si froides qu'elles étaient givrées. Sans même vérifier, nous savions qu'elles ne provenaient pas du réfrigérateur de Steiner (nous avons vérifié à notre retour : nos canettes étaient toujours là).

Je pouvais sentir mes cheveux se dresser sur ma nuque.

Je regardai Megan, qui leva les yeux vers moi avec son expression habituelle, neutre et vaguement en attente.

« Megan, dis-je, méchant chien. Retourne à la maison. » Elle disparut à contrecœur dans la nuit noire. Puis Steiner ouvrit une canette et prit une gorgée, et je l'imitai aussitôt. Le Pepsi était un baume pour ma gorge, et exactement ce dont j'avais besoin à ce moment précis. Nous demeurâmes assis dans l'obscurité pendant une minute, réfléchissant aux divers scénarios possibles. Avait-elle trouvé une glacière au bord de la route? Un généreux passant lui avait-il donné un paquet de six, croyant que l'animal était assoiffé? Avait-elle pénétré chez un voisin et forcé la porte du réfrigérateur pour s'enfuir avec un paquet de Pepsi diète, ignorant saucisses, fromage et restes de rôti?

Où une puissance supérieure était-elle intervenue? Comment une telle chose avait-elle pu se produire au moment précis où Steiner et moi parlions non seulement de boissons, ou de boissons gazeuses en général, mais bien de Pepsi diète? Était-ce là une sorte de signe?

Un tel à-propos, tant en ce qui a trait à la nature de l'événement qu'au moment où il s'est produit, semblait impossible à moins qu'une intelligence divine — et dotée d'un sens de l'humour, en plus — eût choisi de jouer avec les rouages de l'horloge cosmique.

« Je sais que cela doit vouloir dire quelque chose, dit Steiner, mais je n'ai vraiment aucune idée de ce que cela pourrait être! »

Nous allâmes pêcher toute la journée et revînmes bredouilles. Le ciel était gris, il faisait froid et la marée était haute. En dépit de la scopolamine, Steiner fut pris du mal de mer et passa une grande partie du temps penché par-dessus la balustrade. Pour ma part, malgré le mal de cœur, je parvins à maintenir un semblant de digestion. Les boissons gazeuses furent très utiles.

Toute ma vie, des gens m'ont importuné en voulant me faire partager leurs croyances spirituelles. Prédicateurs de quartier, évangélistes enflammés, gourous du nouvel âge, vendeurs de cristaux — aucun ne m'a convaincu, car aucun n'offrait ce dont j'avais le plus besoin : une preuve. Seule ma chienne avait pu faire ça. Elle est morte aujourd'hui, et repose six pieds sous terre au pied d'un poirier noueux du ranch — partie, peut-être, vers un gros tas de compost puant, tout là-haut au paradis. Je n'aurais jamais pu considérer qu'il existât un paradis pour les humains ou les animaux avant de voir Megan avancer en travers de la route, un paquet de six canettes dans la gueule. Maintenant, je ne sais plus. Je crois qu'il y a peut-être quelque chose — là-bas. Au-delà. Après. Quelque chose.

Megan, retourne à la maison.

— *Glen Martin*

$\mathcal{U}$n dimanche de juin ensoleillé, en 1991, le chantre Michael Weisser et sa femme Julie déjeunaient tranquillement dans leur nouveau domicile de Lincoln, au Nebraska, lorsque le téléphone sonna. À l'extérieur, les oiseaux chantaient en harmonie et les voix d'enfants résonnaient dans l'air matinal, tandis qu'à l'intérieur de la modeste maison de brique à deux chambres à coucher s'élevait la rumeur insouciante des rires et des conversations. En effet, Julie, sa bonne amie Rita Babbitz et Michael échangeaient des mots d'esprit dans une atmosphère de détente et de camaraderie. Le téléphone n'avait pas cessé de sonner de toute la matinée. Les Weisser étaient un couple populaire à Lincoln, et, à titre de leader spirituel de l'une des deux synagogues de la ville, Michael recevait continuellement questions et demandes. Il n'avait donc aucune raison d'être inquiet lorsqu'il se leva pour répondre au téléphone, aucune raison de croire que la personne qui appelait ne serait pas un sympathisant ou un fidèle. C'est donc entièrement détendu que Michael traversa la pièce pour faire taire la sonnerie insistante du téléphone, loin de penser qu'après ce simple geste, la paix et la tranquillité quitteraient le foyer des Weisser pour longtemps.

« Tu vas regretter d'avoir emménagé au 5810, rue Randolph, sale Juif », dit âprement une voix masculine, rude et menaçante. Puis plus rien.

Michael Weisser avait auparavant officié dans des synagogues du Tennessee, de la Californie, de l'Ohio, de la Floride et de la Caroline du Sud — à certaines occasions dans des villes dont la population juive était minuscule — et même s'il avait rencontré certaines formes de bigoterie exprimées de manière subtile dans nombre de ces endroits, il n'avait encore jamais reçu d'appel haineux.

De l'autre extrémité de la pièce, Julie Weisser put observer l'expression de douleur qui apparut sur le visage de son mari, et, ce qui était plus inquiétant, son silence.

« Qu'y a-t-il? » demanda-t-elle.

Michael répéta le message de menace qu'il venait d'entendre et, tremblant de colère, ajouta : « Je parie que ça vient du Klan.

— Je ne crois pas que ce soit le Klan », dit son fils Dave, qui, ayant décroché le téléphone de sa chambre à coucher, à l'étage supérieur, avait lui aussi entendu l'avertissement. « Il s'agit probablement simplement de quelque cinglé.

— Un cinglé du Klan, insista Michael.

Il avait raison.

Dans la partie sud-ouest de Lincoln, un barbu aveugle émit un rire enroué en raccrochant violemment le téléphone. Il avait autour du cou une croix gammée retenue par une chaîne et portait un T-shirt rouge délavé portant les mots « Les Blancs au pouvoir », imprimés en blanc à côté d'une croix gammée noire. Des tatouages bleu et gris — un crâne et deux tibias croisés surmontant l'inscription « Hell's Angels », un cœur transpercé par une flèche et une croix de fer, symbole militaire allemand utilisé comme emblème nazi — ornaient ses bras. De plus, des bagues nazies décorées de croix gammées étincelaient sur ses doigts.

Il s'appelait Larry Trapp et son titre officiel était « Grand dragon des chevaliers blancs du Ku Klux Klan du domaine du Nebraska ». Son travail consistait à répandre la haine dans l'État, et même s'il était amputé des deux jambes et obligé de se déplacer en chaise roulante, il travaillait tous les jours avec acharnement dans le but de remplir sa mission. Il haïssait les Juifs, les Afro-américains, les Asiatiques, les Mexicains et les Indiens. La violence l'attirait, et il aimait tout particulièrement terroriser les Noirs et les Juifs. Son affreux appel téléphonique à Michael Weisser n'était que le début d'une campagne de harcèlement qu'il comptait exercer contre le chantre et son épouse.

Michael Weisser était un homme qui s'était engagé avec ferveur à enseigner des principes inspirés de l'amour, de la tolérance et de la non-violence, trois idées de base qu'il considérait comme le fondement de la religion juive. Au cours de son premier sermon à la synagogue Bnai Jeshurun de Lincoln, Michael avait déclaré avec passion : « Dans la tradition juive, notre rôle en tant qu'êtres humains est de corriger les défauts de l'univers. Comment devons-nous nous y prendre? Il faut regarder les gestes que nous avons posés qui ont érigé des barrières entre les êtres humains et le reste de la création. Petit à petit, nous devons abattre ces barrières et les faire disparaître de façon à pouvoir se connaître les uns les autres pleinement et prendre conscience de la richesse de la création, qui nous a été donnée comme un présent et dont nous faisons partie. »

Deux jours après les menaces téléphoniques, Julie Weisser trouva dans sa boîte aux lettres une enveloppe brune en épais papier bulle, adressée, en lettres capitales, au « RABBIN MICHAEL WEISSER ». L'enveloppe contenait des documents antisémites — des dépliants, des brochures et d'horribles bandes dessinées à caractère raciste. Sur le dessus de la pile se trouvait une carte où on pouvait lire : « Le KKK te surveille, déchet. » D'autres messages, écrits à la main, comportaient des avertissements : « Le soi-disant Holocauste n'était rien comparativement à ce qui va t'arriver! »; « Heil Hitler! Que sa mémoire te rafraîchisse l'âme et te donne de l'inspiration! »; « Ton heure est venue »; et « Ceux qui sont responsables des souffrances de notre race blanche (les Juifs, les Noirs, les sang-mêlé et les Blancs qui les soutiennent) paieront le prix de cette haute trahison : la mort par pendaison ». La deuxième étape de la campagne de harcèlement venait de commencer, et ne s'encombrait pas de demi-mesures.

Mais les Weisser n'étaient pas les seules cibles de la malveillance de Larry Trapp. Il s'attaquait constamment aux Afro-américains et aux Asiatiques. Les maisons appartenant à des membres de ces groupes ethniques étaient détruites au moyen de bombes, et de la propagande haineuse était éparpillée dans leurs entrées. Dans le cadre d'une campagne de haine que le Grand dragon avait baptisée « Opération bridés », un centre de sécurité sociale vietnamien fut mis à sac, les meubles qu'il contenait détruits, les fils électriques arrachés des murs et les tuyaux d'alimentation en eau perforés — cet acte de destruction et de haine entraîna la fermeture définitive des portes du centre. Trapp fit installer une ligne téléphonique spéciale qui proférait des messages de haine; l'un d'entre eux en particulier ciblait une Noire appelée Donna Polk, que Trapp terrorisait déjà depuis quelques mois. Dans le message, l'adresse de la femme était révélée, et il était suggéré que celle-ci constituait une cible de choix pour les chasseurs à la recherche de bon gibier. Trapp réussit même à convaincre la station publique locale de diffuser « Race et raison », un hymne *péan* méprisable en l'honneur du Mouvement aryen de résistance.

Michael Weisser comptait parmi ceux qui regardèrent la révoltante émission, et le sentiment d'horreur que les incitations à la haine et à la destruction propagées à Lincoln par Trapp suscitait chez lui le traversa comme un courant électrique. Non seulement lui et sa femme avaient-ils été pris pour cible par l'homme, mais un grand nombre d'autres personnes avaient été ensevelies par la vague de vitriol qui balayait la ville. Toute sa vie, lorsqu'il avait été mis dans des situations qui suscitaient chez lui de la colère, Michael avait relevé le défi, affronté ses ennemis et passé à l'action. C'est ainsi qu'il décrocha le téléphone et appela Trapp.

Mais celui-ci ne répondit pas. Au lieu de cela, Weisser eut droit au plus récent message de la ligne spéciale du Grand dragon, intitulé : « Justiciers du Nebraska — là où la vérité fait mal! » Le message qui suivait était si venimeux que Michael fut incapable de contenir plus longtemps sa fureur. Il attendit le timbre et dit : « Larry, tu devrais réfléchir à toute cette haine que tu répands, car un jour tu devras répondre de tes actes destructeurs devant Dieu, et je te jure que tu vas passer un mauvais moment. »

À partir de ce jour, Michael Weisser prit l'habitude de laisser de courts messages sur le répondeur de Trapp. Ses paroles étaient spontanées, jamais préparées ou répétées. Michael disait simplement ce qui lui passait par la tête. Quelque chose en lui le poussait à parler au Grand dragon, même s'il ne pouvait pas savoir si celui-ci écoutait et comprenait ses messages.

Un jour, après avoir vu Larry Trapp dans le cadre d'une émission de télévision locale, portant l'uniforme et arborant tous les insignes du Klan, debout sous un drapeau nazi, Michael saisit le récepteur et lui laissa un autre message.

« Je viens de voir l'entrevue où tu te tenais si fièrement sous le drapeau nazi, dit Michael. Larry, sais-tu que les toutes premières lois que les nazis de Hitler ont promulguées étaient contre les personnes comme toi, qui étaient privées de l'usage de leurs jambes ou qui souffraient de difformités ou de handicaps physiques? Te rends-tu compte que tu aurais été parmi les premiers à mourir sous le règne de Hitler? Alors pourquoi aimes-tu tant les nazis? »

Larry Trapp écouta le message, comme il l'avait fait pour tous les autres que Michael Weisser lui avait laissés au cours des semaines précédentes. Jusque-là, il avait rejeté les paroles de Weisser et s'en était moqué, mais cette fois les mots de l'homme de foi firent impression. Il savait que Michael avait raison. Les nazis avaient exterminé les personnes handicapées, même avant de commencer à assassiner les Juifs dans les chambres à gaz.

« Que vais-je faire si Trapp répond lorsque j'appelle? » demanda un jour Michael à Julie après avoir laissé, la veille, le message suivant sur le répondeur de Trapp : « Comment peux-tu retirer le moindre sentiment réel de liberté à faire tous ces gestes haineux? Peut-être devrais-tu renoncer à toute cette haine. »

Julie avait maintes fois pensé à Trapp et à son existence remplie de haine. Elle s'était souvent demandé quelles terribles circonstances avaient mené à un tel résultat. Sa conclusion était que Trapp devait avoir grandement manqué d'amour dans son enfance.

« Si jamais il répond, dis-lui que tu aimerais faire quelque chose qui lui ferait plaisir, dit-elle. Dis-lui que tu pourrais l'emmener à l'épicerie, ou quelque chose comme ça. Ça va le désarçonner complètement. »

Michael adorait l'idée de Julie et se demandait s'il aurait l'occasion de la mettre à exécution. En effet, le Grand dragon n'avait jamais décroché le récepteur lors des appels de Michael. « Mes messages ont-ils fait la moindre brèche dans la carapace de Trapp? » se demandait souvent Michael.

Trapp détestait ces appels, et ils commençaient à lui taper sérieusement sur les nerfs. Il fallait que cela cesse; il fallait que se taise l'homme à la voix chaleureuse et au ton vaguement rieur qui osait propager des messages d'amour jusque dans sa maison. « C'est un cinglé », dit-il à un autre membre du Klan un jour où la voix de Michael, transmise par le répondeur téléphonique, lui transmit l'exhortation suivante : « Larry, lorsque tu cesseras de haïr, tout un univers d'amour s'ouvrira à toi. » « La prochaine fois qu'il appelle, je vais répondre et mettre fin une fois pour toutes à ce harcèlement », jura Larry.

Lorsque l'appel eut lieu, il était fin prêt.

« Tu veux quoi au juste? » gronda-t-il.

Michael suivit alors le conseil de Julie. « Eh bien, j'ai cru que vous auriez peut-être besoin d'aide pour quelque chose, dit-il. Et je me demandais si je pouvais vous aider. Je sais que vous êtes en chaise roulante et je me suis dit que je pourrais vous emmener à l'épicerie ou quelque chose comme ça. »

Pendant plusieurs secondes, Trapp ne put émettre un son. Son étonnement était palpable, même à l'autre bout du fil. Il finit par s'éclaircir la gorge et par parler. Michael eut l'impression que la voix de Trapp avait un timbre différent et qu'elle était moins cassante, plus douce, presque comme si le sentiment de haine qui l'avait habitée auparavant avait disparu soudainement et miraculeusement.

« Ça va, dit Larry Trapp. C'est gentil de votre part, mais j'ai toute l'aide qu'il faut de ce côté-là. Merci quand même. Mais n'appelez plus à ce numéro, car il s'agit de ma ligne commerciale.

— À la prochaine, donc », répondit rapidement Michael Weisser avant que Trapp ne raccroche.

Le soir du vendredi 15 novembre 1991, Michael Weisser fit un sermon à l'occasion du sabbat, et son message de bonté, de charité et d'humanisme électrifia ses fidèles.

« Si nous ne communiquons pas notre amour par le travail de nos mains, de quel genre d'amour s'agit-il alors? dit-il. Aimer signifie être disposé à aider et à servir ceux qui sont privés d'amour. Et si nous gardons notre tolérance pour nous-mêmes, il ne s'agit pas vraiment de tolérance, mais simplement de silence. Afin d'exprimer cette tolérance, il nous faut tendre la main à ceux qui peuvent nous sembler différents — aller vers eux et s'en faire des amis. »

Après le sermon, les fidèles se recueillent habituellement en une prière silencieuse pour des amis et des parents malades. Michael avait déjà quitté l'estrade lorsque l'image de Larry Trapp lui vint à l'esprit. Spontanément, il se tourna vers l'assemblée et leur demanda de prier pour une personne qui était malade — non pas physiquement au sens où on l'entend habituellement, mais « atteint de la maladie de la bigoterie et de la haine ». « Je vous demande de prier pour que lui aussi guérisse », ajouta-t-il.

Ce vendredi soir-là, pendant que des prières étaient récitées à son intention, Larry Trapp dormait d'un sommeil nerveux et agité. La bague ornée de croix gammées qu'il portait à la main gauche et celle qu'il portait à la main droite se mirent à lui sembler, pour la première fois de sa vie, lourdes et inconfortables. Pour une raison étrange, les doigts qui arboraient les bagues se mirent à lui brûler, à lui démanger et à lui picoter, ce qui n'était jamais arrivé auparavant. Il enleva les bagues, qui lui faisaient mal aux doigts. Lorsque le malaise fut disparu, il les remit. Puis lorsque la sensation d'inconfort revint, il les enleva de nouveau. Il était effrayé par ce qui lui arrivait. De plus, une présence lourde et menaçante semblait flotter dans l'espace.

Larry Trapp passa toute la nuit à enlever ses bagues, à les remettre puis à les enlever de nouveau — sans comprendre ce qui lui arrivait.

Le lendemain soir, il téléphona à Michael Weisser. « Je veux quitter le groupe, dit-il, mais je ne sais pas comment m'y prendre.

— Vous avez besoin d'aide?

— Je ne sais pas. Je ne crois pas.

— Peut-être pourrions-nous en discuter ce soir.

— Je ne pense pas. Un autre jour peut-être.

— Écoutez, dit Michael, avez-vous faim? Moi et ma femme allons acheter de la nourriture et vous apporter à dîner.

— Euh, je ne sais pas…

— Nous pourrions manger ensemble et échanger.

— Eh bien, d'accord, ce n'est pas une mauvaise idée. » Michael et Julie étaient installés à l'intérieur de la voiture en train de boucler leur ceinture de sécurité lorsque Julie eut une idée.

« Attends un peu, Michael. Je crois que nous devrions apporter à Larry un cadeau pour lui montrer que nous sommes sincères. Donne-moi deux minutes, je cours dans la maison voir ce que je peux dénicher. »

Mais une fois à l'intérieur, Julie n'arrivait pas à trouver quoi que ce soit qui convienne. « Je ne peux pas apporter un livre, réfléchit-elle tout haut, puisqu'il est aveugle. Pas de sucreries, car il est diabétique, ni de vêtements, car j'ignore quelle grandeur il porte. » Puis elle entra dans sa chambre à coucher et se mit à fouiller dans un petit coffret à bijoux en cuivre posé sur sa table de toilette. C'est là qu'elle trouva le cadeau parfait.

Il s'agissait d'une bague en argent constituée de brins entrecroisés, qu'elle avait achetée pour Michael deux années plus tôt. Michael l'aimait bien, mais il la portait rarement. « C'est exactement ce que je veux donner à Larry! » pensa-t-elle avec un enthousiasme croissant.

« Ne crois-tu pas que cette bague est le cadeau tout trouvé? » demanda-t-elle à son mari une fois revenue dans la voiture avec le bijou. « Je l'aime car elle est toute tordue, mais en même temps très belle. Pour moi, elle symbolise à quel point la vie d'une personne peut être toute tordue mais quand même finir par devenir merveilleuse.

— C'est une intéressante façon de voir les choses, répondit Michael. Je n'avais jamais pensé à la bague en ces termes.

« Je l'ai toujours considérée comme une bague symbolisant la fraternité. Pour moi, ces brins représentent tous les types de personnes qui peuplent notre monde, qui sont toutes différentes mais non moins liées les unes aux autres. »

Larry Trapp tendit la main après avoir ouvert sa porte à Michael et à Julie. « Bonjour, dit-il.

— C'est un plaisir de vous rencontrer en personne », dit Michael, en serrant chaleureusement la main offerte de Larry.

Au contact de Michael, Larry tressaillit. Il se sentit comme traversé par un courant électrique. Puis il éclata en sanglots.

Sans comprendre ce qui l'y poussait, Larry se mit soudainement à enlever les deux bagues en argent ornées de croix gammées qu'il portait aux doigts. « Je ne peux plus porter cela, s'écriat-il. Elles représentent toute la haine qui habite ma vie. Pourriez-vous m'en débarrasser? »

Michael et Julie se regardèrent, abasourdis, bouleversés par la coïncidence. « Nous allons les prendre et vous en donner une nouvelle », murmura Michael d'un ton apaisant.

« Tenez, dit Julie en glissant doucement la nouvelle bague au doigt de Larry. Nous aimerions vous faire ce présent. Pour moi, les brins entrecroisés représentent la beauté de l'âme humaine, tandis que Michael trouve qu'ils symbolisent la fraternité. Mais une chose est sûre : cette bague est synonyme d'amour. »

Puis tous trois joignirent les mains et pleurèrent.

Épilogue : Larry Trapp démissionna de son poste au sein du Ku Klux Klan et cessa d'être membre de l'ensemble des groupes haineux dont il avait fait partie jusque-là. Il s'excusa ensuite auprès des habitants de Lincoln, au Nebraska, qu'il avait harcelés au fil des ans. Il téléphona à chacun d'entre eux pour leur demander pardon. De plus, il rencontra les représentants officiels de différents organismes chargés de l'application de la loi, tels que le FBI, la Ligue contre la diffamation, et les policiers de sa région afin de leur transmettre des renseignements internes sur les activités des groupes haineux travaillant dans la clandestinité aux États-Unis. Puis il se convertit au judaïsme le 5 juin 1992 et mourut trois mois plus tard des suites de complications liées au diabète. Au cours des derniers mois de sa maladie, il vécut chez les Weisser, qui le soignèrent tendrement jusqu'à sa mort.

Remerciements

Nous désirons adresser nos plus chaleureux remerciements à VOUS, nos lecteurs bien-aimés, dont l'enthousiasme débordant pour notre premier livre a été immensément apprécié. C'est grâce à votre chaleur et à votre intérêt que nous avons pu produire ce deuxième livre. Nous avons été profondément émues par vos lettres généreuses et sincères, et il nous fait chaud au cœur de savoir que Small Miracles vous a apporté joie et réconfort. Vous, nos lecteurs, comptez parmi les artisans de cette deuxième partie, et nous vous félicitons de votre ouverture et de votre enthousiasme contagieux.

Nous tenons également à remercier chaleureusement tous les gens de Adams Media, qui ont œuvré à la publication du présent livre en montrant tant de confiance et de dévouement. Merci à l'extraordinaire Bob Adams, qui s'est tellement intéressé au succès de ce modeste livre, qui a fait preuve d'une si grande créativité pour en assurer le lancement et qui a cru en son message avec encore plus de ferveur après avoir vécu son propre « petit miracle », le soir même où il a terminé la lecture d'épreuves. Merci également à Wayne Jackson, directeur du marketing innovateur et dynamique, dont le zèle contagieux a suscité un enthousiasme sans bornes chez les libraires. Merci enfin à Melanie Mackinaw pour ses démarches appréciées et son aide bienveillante dans toutes les sphères du soutien publicitaire.

Nous avons eu la chance de bénéficier des services de la plus merveilleuse éditrice, Pamela Liflander, dont les conseils experts, la sagesse et l'intelligence ont grandement enrichi notre expérience d'écriture. Nous en sommes arrivées à la conclusion que Pam, dont la patience et la bonne humeur ne se sont jamais démenties au cours de ces deux années, est pratiquement une sainte, et nous avons été heureuses de pouvoir profiter des innombrables et précieuses vertus de cette personne unique. Tous nos remerciements aussi à Virginia Ruebens pour son exceptionnel travail de révision.

Au cours de cette année charnière de nos vies, nous avons eu le privilège de rencontrer un grand nombre de libraires formidables qui croyaient en notre projet et qui ont effectué un magnifique travail de vente. Nous vous remercions tous, vous qui êtes trop nombreux pour figurer dans ces pages, et nous applaudissons vos efforts. Il existe toutefois deux petits commerces indépendants qui méritent une mention spéciale. Aucune librairie n'a fait la promotion de Small Miracles avec davantage de ferveur que Harnik's Happy House, à Brooklyn. Noreen Harnik et Terri Roca ainsi que leur dévoué personnel ont apporté un soutien si incroyable à l'ouvrage que celui-ci est devenu le livre le plus vendu au cours des cinquante ans d'histoire du commerce! Nous leur serons éternellement reconnaissantes pour la générosité et la grandeur d'âme sans bornes dont elles ont fait preuve. Edna Krausz, de la galerie Inspiration, située à New Rochelle, dans l'État de New York, est tombée amoureuse de Small Miracles et en a vendu un grand nombre dans sa région. Jusqu'à présent, cette librairie — petite en superficie mais de stature imposante — a écoulé plus de 600 exemplaires de Small Miracles, entièrement grâce au dévouement de sa propriétaire.

Nous faisons toutes deux partie d'un groupe de femmes qui met l'accent sur l'importance de la spiritualité et de la créativité, et nous désirons remercier les membres de ce groupe, des femmes très spéciales, pour leur soutien continu et la part qu'elles ont joué dans notre réussite. Merci à Pessie, Etta, Ruchama, Hadas, Miriam et Shulamis! Nous espérons cheminer encore avec vous pendant de nombreuses années. Un merci bien spécial à Ruth Wolfert pour ses conseils pleins de sagesse. Anna Ashton mérite un tonnerre d'applaudissements pour son dévouement et son aide.

Enfin, nous aimerions remercier nos agents, Gareth Esersky et Carol Mann pour nous avoir menées à Adams Media, ainsi que pour leurs conseils et leur appui.

J'aimerais exprimer ma reconnaissance à mes collègues de EMUNAH pour leur gracieux soutien de tous les instants, et pour avoir accepté de fermer les yeux sur mes nombreuses absences au cours de l'année qui vient de s'écouler, en raison de mes engagements liés à la tournée de promotion du livre et à l'écriture.

Un grand nombre de personnes très spéciales m'ont fait part de leurs histoires et de leurs pensées touchant les coïncidences, mais tout récemment, j'ai été particulièrement touchée et émue par la générosité unique du rabbin Hanoch Teller. Le rabbin Teller, chercheur émérite et conteur célèbre, ne conserve pas jalousement les joyaux qu'il a amassés au cours de son existence, mais les partage généreusement et gracieusement avec tous. Trois des histoires figurant dans le présent livre s'inspirent librement de la merveilleuse bande vidéo du rabbin Teller, intitulée Croyez-vous aux miracles?

Les meilleurs moments de la vie sont ceux que l'on partage avec sa famille et ses amis. L'enthousiasme et le soutien que m'ont prodigués mes chers amis — Raizy Steg, Bella Friedman, Annette Grauman, Babshi Berkowitz, Sarah Laya Landau et Hindy Rosenberg — me sont très précieux. Un merci particulier également à Ginny Duffy et à Marcella Weiner pour m'avoir prise par la main dans les moments où j'en avais le plus besoin. Dans les périodes difficiles, je savais que je pouvais compter sur les personnes mentionnées ci-dessus. Ma famille — ma mère, Claire Halberstam, mon frère, Moishe Halberstam et ma sœur, Miriam Halberstam — ont toujours soutenu mes projets et cru en moi, tout comme ma belle-famille, Leib et Sima Mandelbaum, Suri et Danny Dymshits, Chaim et Bayla Mandelbaum ainsi que Yeruchem et Chaya Winkler. Bayla s'est précipitée en courant pour acheter le premier exemplaire de Small Miracles vendu à Brooklyn le jour de la parution du livre et Chaya a organisé une petite réception chez elle pour célébrer l'événement. Ces deux gestes m'ont énormément touchée. Quant à ma sœur Miriam, elle a cherché avec dévouement des histoires de coïncidences à inclure dans le livre, et plusieurs des textes s'y trouvent grâce à ses efforts acharnés. Je ne l'en remercierai jamais assez.

Mes deux enfants — Yossi et Eli — ont été de joyeux participants au cours de ce processus gratifiant et stimulant et ont fait preuve de beaucoup d'indulgence face à mes manquements à mon rôle de mère. Ils m'ont gentiment pardonné mes faiblesses et mes absences au cours de cette période mouvementée. Yossi fit de nombreuses démarches auprès de diverses librairies et agents en Israël afin de promouvoir le livre dans ce pays, et ses efforts ont été couronnés de succès. Les droits de vente du livre à l'étranger ont maintenant été vendus à ce pays, et je remercie Yossi pour le rôle qu'il a joué dans la conclusion de cette entente. (Israël est venu s'ajouter à l'Italie, à la Grèce, à l'Amérique Latine, au Brésil, à la Chine, au japon, à l'Indonésie, à l'Espagne, à l'Allemagne, au Canada et à la Corée, qui avaient tous acheté les droits de Small Miracles.)

Mon mari, Motty, à qui j'ai dédié le livre, est celui — plus que quiconque — qui a stimulé ma créativité à l'âge adulte. (Mon père, dont je chéris la mémoire, était ma principale source d'inspiration lorsque j'étais enfant.) Au cours de nos vingt et une années de mariage, Motty a toujours insisté, avec sincérité et dévouement, pour que je laisse de côté les tâches ménagères afin de me consacrer à mon travail, et mon succès l'a toujours rempli de joie. Sa sagesse et ses bons conseils m'ont aidée à maintes occasions, et ses commentaires et remarques se sont toujours avérés essentiels. Par dessus tout, le fait de vivre à ses côtés et d'être exposé à son esprit brillant et à sa façon originale de penser m'ont aidée à grandir.

— Yitta Halberstam

Je remercie Jules, mon cher mari, qui m'a toujours montré comment faire face à mes limites, afin de les affronter et de les dépasser. Avec beaucoup d'amour, il n'a cessé de m'appuyer et de m'encourager.

Je voudrais également remercier ma fille, Arielle, qui m'a accompagnée lors de la tournée de promotion du livre alors qu'elle était à peine en âge de marcher. Dans les avions et partout où nous allions, elle a tenu bon sans broncher, transportant son sac à dos et son ours en peluche et poussant sa petite voiture d'enfant. Elle a illuminé mes voyages avec sa capacité d'émerveillement.

Estee, ma sœur, mon amie et ma confidente, a été pour moi une bénédiction, depuis le jour où elle est venue au monde. Ma chère mère, Rose, de même que Hedy et Myer Feiler et leurs enfants, Isser et Malku Handler, Anne Leventhal, Emery ainsi que David et Shulamit Leventhal et leurs enfants m'ont tous témoigné amour et soutien.

Je tiens également à exprimer ma gratitude à Pesi Dinnerstein, mon phare de lumière. Sara Barris, Deena Edelman, Ruchama et Yisrael Feuerman ainsi que Eta Ansel, mes amis proches, ont dispensé leur enthousiasme sans compter. Elli Wohlgelernter est un ami cher qui a toujours été friand de coïncidences. Enfin, je voudrais remercier Jonathan et Ruchy Mark qui, avec leurs mots, nous ont fait voir la beauté de notre livre et qui, ensemble, ont été le catalyseur de bien des miracles.

— Judith Leventhal

Autorisations

Nous désirons remercier ceux et celles qui nous ont donné la permission de reproduire des documents qui avaient déjà été publiés :

WRIGHT, Timothy S., « Caught in a Firestorm », février 1996. Reproduit avec la permission de la revue *Guideposts Magazine*. Tous droits réservés, 1996, par Guideposts, Carmel, New York.

MARTIN, Glen, « The Hand of Dog », 19 mai 1994. Reproduit avec la permission du *San Francisco Chronicle*.

MARKOWITZ, Arnold, « Hands of Fate Reunite Women, Stolen Rolex », 7 mai 1997. Reproduit avec la permission de *The Miami Herald*.

MAUER, Naomi (réécriture), « Lessons in Emunah », reproduit avec la permission de *The Jewish Press*.

CHATER, Veronica et Arlene NUNES, « I Can Do Anything », 20 mai 1997. Reproduit avec la permission du *Women's World Magazine*, Englewood Cliffs, New Jersey.

Extrait de *Incredible Coincidence: The Baffling World of Synchronicity*. Tous droits réservés, 1979, par Alan Vaughn. Reproduit avec la permission de Harper Collins Publishers.

SMITH, Jeff, « My Life is Yours », juillet 1996. Reproduit avec la permission de la revue *Guideposts Magazine*. Tous droits réservés, 1996, par Guideposts, Carmel, New York.

Extrait de *Not by the Sword*, de Kathryn Watterson. Reproduit avec la permission de Ellen Levine Agency, Inc. Tous droits réservés, 1995, par Kathryn Watterson.